Tarot
Spiegel Deiner Gesundheit

Mario Montano
Ferdinando Alaimo

TAROT
Spiegel Deiner Gesundheit

1. Aufl.: 1.- 6. Tausend 1995

ISBN 3-908644-41-0

Urania Verlags AG, CH-8212 Neuhausen

Übersetzt aus dem Englischen von Ralph Tegmeier
Textredaktion: Silvia Baumgartner
Satz: GBS, Lyss
Printed in Germany

Einleitung

Dieses Buch ist das Kind einer alten Freundschaft, die sich mit jeder Jahreszeit erneuert. Gezeugt wurde es im Frühling in den von Zypressen geschmückten Hügeln der Toscana, die nach Ginster und Rosmarin dufteten; geschrieben wurde es im Sommer unter einer Pergola aus Rosen in den Bergen des Appennin, die so überreich an Immergrün und Olivenbäumen sind; bearbeitet wurde es am Ende der Monsunzeit an den Ufern des Ganges im indischen Himalaja, als die Sonne wieder zu scheinen begann und der heilige Fluß einmal mehr seine Smaragdfärbung annahm.

Indem wir unserem Kind Lebewohl sagen, um es in die Welt hinausziehen zu lassen, wünschen wir ihm, daß es geliebt und geachtet werde; unseren Lesern aber wünschen wir, daß sie Spaß daran haben mögen, wie wir ihn auch im Laufe der Jahreszeiten hatten.

In Liebe,

Die Verfasser

16. November 1994,
Monte Antico, Italien

Inhalt

VORWORT

Die Unterdrückung der existentiellen Realität der Krankheit

In unseren heutigen westlichen Kultur betrachten wir die Symptome unserer Krankheiten auf eine Weise, die zugleich trennt und projiziert. Wir neigen dazu, in der Krankheit etwas zu sehen, das von uns abgetrennt und fremd ist, als eine Art Betriebsunfall, der uns auf rätselhafte Weise heimgesucht hat und von dem wir uns am liebsten distanzieren würden.

Diese Grundhaltung kommt einer Ablehnung sowohl der Erkrankung als auch des erkrankten Körpers selbst gleich. Obwohl wir doch normalerweise ausdrücklich dazu angehalten sind, uns stark mit unserem Körper zu identifizieren, empfinden wir ihn als fremd, als unbegreiflich und feindselig, sobald etwas auftritt, was wir als «Krankheit» bezeichnen.

Als nächstes machen wir uns dann daran, ihn «zum Arzt» zu schleppen und diesem die Last aufzubürden. Natürlich schaut sich der Arzt die Krankheit mit ebenso entfremdeter «Objektivität» an. Dann verkündet er, daß die Erkrankung zu einer Gruppe von Symptomen gehört, von der man weiß, daß sie durch eine bestimmte Therapie zu «verschwinden» pflegen, wobei diese Behandlung häufig mit einer schwerwiegenden chemischen oder chirurgischen Manipulation einhergeht.

Wenn die Therapie erfolgreich ist, verschwindet die Erkrankung, als sei nie etwas gewesen, und hinterläßt hoffentlich auch keine weiteren Spuren bis auf ein paar Daten in einer medizinischen Statistik. Wenn die Behandlung versagt, werden die Symptome häufig chronisch und so zu einem ungeliebten Bestandteil unserer Persönlichkeit und unseres Alltags.

In beiden Fällen haben wir eine Erfahrung oder ein Ereignis in unserem Leben ausschließlich als Verlust erlebt und darin versagt, einen Teil von uns selbst zu akzeptieren, um aus unserer Erfahrung Wissen und Gewinn zu ziehen. Indem wir uns von unseren Krankheiten abtrennen und keine Verantwortung dafür übernehmen, verweigern wir unserem Körper die Unterstützung durch die Kräfte der Seele, teilen wir uns selbst noch mehr auf und müssen dafür unseren Symptomen um so geschwächter ins Auge blicken.

Sollte uns diese scheinbar «normale» Art und Weise des Umgangs mit Erkrankungen allerdings unbefriedigend und in letzter Konsequenz sogar gefährlich erscheinen, müssen wir die ganze Angelegenheit von Anfang an aus einem völlig anderen Blickwinkel betrachten.

Das allererste, was es zu erkennen gilt, ist die Tatsache, daß diese «Krankheit» mitsamt ihren Symptomen meine Krankheit ist, daß es sich bei ihr um mich selbst dreht: Ihre Vorgeschichte und ihre Symptomatik künden ganz eindeutig von meiner eigenen Einzigartigkeit, von meinem ureigenen Lebensweg, von meiner existentiellen Wirklichkeit.

Anstatt mich davon abzutrennen, sollte ich wenigstens versuchen, einen Teil meines Wesens kennenzulernen und eine Verbindung zu ihm herzustellen, den zu verstehen sich durchaus lohnt, vor allem wenn man bedenkt, mit welchem Drängen und mit welcher Intensität mein Körper meine Aufmerksamkeit darauf lenkt.

Wenn unser Körper uns ein Signal sendet, eine Nachricht, erscheint es nur vernünftig, uns auf unsere Seele einzustimmen und zu versuchen, diese Nachricht auszudeuten, anstatt sie zu ignorieren oder auszuradieren. Ja, es scheint sogar, als ob sowohl die Erkrankung selbst wie auch die mit ihr einhergehenden Symptome um so eher ihre Existenzgrundlage verlieren, je früher diese Nachricht empfangen und begriffen wird.

Der Tarot als Werkzeug der psychosomatischen Medizin

Ein solches allumfassendes Verständnis der Symptome einer Erkrankung ist typisch für die Vorgehensweise der psychosomatischen Medizin. Mit Sicherheit verhilft es uns dazu zu begreifen, was bei einer Erkrankung vor sich geht. Die Botschaft, die der erkrankte Körper uns sendet, läßt sich allerdings sogar aus psychosomatischer Sicht nicht so ohne weiteres verstehen.

In Wirklichkeit ist unser Verstand nämlich parteiisch, weshalb wir dazu neigen, unserer Erfahrung des Krankwerdens mit vorgefaßten Meinungen zu begegnen. Das beschneidet aber unsere Fähigkeit, genau hinzuhorchen und unsere aktuelle Erkrankung wirklich zu begreifen.

Wenn wir die Erfahrung des Erkrankens also wirklich verstehen lernen wollen, stoßen wir dabei auf folgende beiden Hindernisse: 1) Wir versuchen irrtümlicherweise, das Neue mit Hilfe des Alten und allein durch dieses zu erklären; 2) wir begreifen nicht, daß sich eine Erkrankung und ihre Symptome nicht durch die Abstraktionen einer analytischen Logik wegerklären lassen. Vielmehr handelt es sich bei ihnen um Symbole, die, im Zusammenhang betrachtet, tatsächlich sehr viel mehr über unsere Wirklichkeit verraten, als es zunächst bei vordergründiger Betrachtungsweise den Anschein haben mag.

Wie wir wissen, kann man Symbole nur intuitiv verstehen und erklären: Ebendies tun wir normalerweise auch, wenn wir unsere Träume deuten; und auf die gleiche Weise lesen und deuten wir den Tarot, der uns eine der mächtigsten und wirkungsvollsten Symbolreihen in die Hand gibt, die uns zur Verfügung stehen.

Wenn wir krank sind, wälzen wir uns manchmal im Schlaf hin und her. Und wir bringen dabei Träume hervor, die uns hochinteressante Hinweise zum Verständnis der Situation bieten können, in der wir uns gerade befinden. Am Morgen danach aber überlegen wir uns niemals wirklich ernsthaft, daß es sich bei diesen Träumen vielleicht um mehr handeln könnte als um gelegentliche Fingerzeige von unerwarteter Herkunft.

Dieses Buch befaßt sich hauptsächlich mit der Tatsache, daß es möglich ist, einen gelenkten Tagtraum herzustellen, der unsere Erkrankung und ihre Symbole zum Inhalt hat, wobei wir uns der Hilfe des Tarot bedienen, um diese zu visualisieren und zu deuten. Deshalb wollen wir versuchen, eine psychosomatische Interpretation der Großen und Kleinen Arkana zu skizzieren, die dem Leser dabei helfen soll, das Problem der eigenen körperlichen wie seelischen Erkrankung anzugehen, und zwar mit Hilfe eines neuen Werkzeugs, eines neuen Tarotblatts, nämlich dem Psychosomatischen Tarot.

Unter diesem Gesichtspunkt werden wir eine Reihe psychologischer und verhaltensspezifischer Syndrome betrachten und sie als Archetypen des Tarot beschreiben, während wir in den Kleinen Karten und ihren vier Farben (Feuer, Erde, Luft und Wasser) vier Energieformen erkennen, mit denen wir diese Syndrome im Alltagsleben handhaben.

Durch einfaches Spielen mit dem Tarot und den Gebrauch unserer intuitiven und analogischen Fähigkeiten können wir das Krankheitssymbol auf seinen ursprünglichen, archetypischen und energetischen Kontext zurückführen und unserer Erfahrung einen neuen Bezugsrahmen verleihen. Dieser ermöglicht es uns: 1) eine energetische Verbindung zu unserer Krankheit herzustellen, anstelle einer rein intellektuellen; 2) unser Unbewußtes dazu zu ermuntern, mit dem Krankheitssymbol zu arbeiten und uns Hinweise sowohl für die Diagnose als auch für die Therapie zu geben.

Das vorliegende Buch richtet sich an Menschen, die bereit sind, dem Tarot und ihrer eigenen Intuition zu vertrauen, um dadurch mehr über Krankheit und Gesundheit sowie über ihren Körper und ihren Geist zu erfahren. Wir haben es sowohl für jene geschrieben, die gewillt sind, die Verantwortung für ihre gesundheitlichen Probleme zu übernehmen und aus ihnen zu lernen, als auch für Tarot-Liebhaber, Therapeuten und Experten, die sich dafür interessieren, mit einem neuen Werkzeug zu experimentieren. Wir hoffen, es gefällt Ihnen.

EINFÜHRUNG

Gesundheitliche Probleme können insgeheim ein wahrer Segen sein

Der psychologische Individuationsprozeß ist keine sehr einfache Angelegenheit, und unsere sogenannten «Krankheiten» spielen dabei manchmal eine herausragende Rolle. Es braucht Zeit und verlangt Mühe, eine Persönlichkeit aufzubauen: Was die Gesundheit betrifft, erweisen sich schwierige, fordernde Erlebnisse oft als ein verkappter Segen. Denn sie können dazu führen, daß wir unser falsches Empfinden persönlicher Identität hinterfragen, und dabei behilflich sein, eine echtere Persönlichkeit herauszukristallisieren.

Für die meisten Menschen besteht die Persönlichkeit lediglich aus der Summe aller sogenannten «richtigen» Glaubenssätze, jenen gesellschaftlich akzeptierten Verhaltens- und Gefühlsmustern, die uns unsere Eltern, Verwandten, Freunde und Erzieher seit der Geburt beigebracht haben – und was unserer Konditionierung zuwiderlief, mußte dabei mit einem Bann belegt und unterdrückt werden.

Das, was wir unseren Charakter nennen, ist nicht unsere wirkliche Individualität, sondern ein Satz fertiger, festgelegter Reaktionen auf die Welt, in der wir leben; was das Leben in der Gesellschaft angeht, wird alles vom Konformismus beherrscht. Ein Kleinkind hat keine andere Wahl, als so zu werden, wie die Erwachsenen es von ihm verlangen, sofern es überleben und geliebt werden will. Bis wir die Pubertät erreicht haben, ist von der

Spontaneität und Unschuld unserer frühesten Jahre meist nicht mehr allzu viel übrig.

Bei dem Begriff «Persona», «Maske», handelt es sich um die etruskische Bezeichnung für «Persönlichkeit». Das ist eine Fiktion, die wir uns einmal ausgedacht haben, um anderen zu gefallen, bis wir schließlich selbst daran glaubten. Unser Körper und unsere Gesundheit bilden einen wichtigen Teil dieser Maske, die wir nie ablegen und die wir mit unserem wahren Wesen verwechseln.

Aber so sehr wir uns auch daran festklammern mögen, ist diese Fiktion doch sehr leicht zu erschüttern: Sobald gesundheitlich etwas schiefgeht, zerfällt die Maske in ihre Bestandteile, und wir wissen nicht mehr, wer wir überhaupt sind.

Krankheit trifft uns immer aus heiterem Himmel: Meistens erleben wir sie als ein zufälliges Geschehen, als rätselhaftes Symptom, das uns irgend etwas Unerwartetes und Unbekanntes mitteilen will – etwas, das wir nicht bewußt in unser Sein integrieren konnten. Plötzlich wirken die Gewißheiten, die doch einmal das Fundament unserer Persönlichkeit schlechthin darstellten, schwach und unzuverlässig. Dann fühlen wir uns verloren und verängstigt und halten Ausschau nach Hilfe.

Doch braucht man eigentlich nicht erst krank zu werden, um zu erkennen, wie haltlos unser kostbarer Identitätssinn in Wirklichkeit ist. Um das zu erfahren, brauchen wir nur einmal die Augen zu schließen. Sobald wir sie geschlossen haben, finden wir uns allein wieder, umgeben von Dunkelheit: Die Welt verschwindet, die anderen sind nicht mehr für uns da, es gibt kein externes Modell mehr, dem wir noch entsprechen können. Wenn wir uns dann fragen, wer wir sind, stellen wir fest, daß es gar nicht soleicht ist, darauf eine Antwort zu finden.

Sind wir häßlich oder attraktiv, reich oder arm, frei oder versklavt? Wie sollten wir das beantworten, wenn doch niemand mehr da ist, mit dem wir uns vergleichen können? Reich kann ich nur im Vergleich zu jemandem sein, der ärmer ist als ich, und arm nur im Vergleich zu jemandem, der reicher ist. Und diese Binsenweisheit trifft auf sämtliche Aspekte dessen zu, was ich meine Identität nenne.

Bei geschlossenen Augen verliert die Maske der Persönlichkeit ihren Nutzen. Die Qualitäten, die ich im täglichen Leben für mein wahres Ich halte, bestehen in Wirklichkeit nur aus Beziehungen zu Dingen und Menschen außerhalb von mir – und die können jeden Augenblick verschwinden.

Wer bin ich denn dann nun? Krankheit ängstigt uns, weil krank zu sein ein bißchen so ist, als würde man die Augen schließen und die eigene Identität in Frage stellen. Sie entstammt etwas, mit dem wir uns zu identifizieren pflegen, das uns aber sofort fremd und feindselig erscheint, sobald wir erkranken: unserem eigenen Körper, jenem Teil unseres Seins, der eben nichts mit sozialen Glaubenssätzen und äußeren Beziehungen zu tun hat.

Eine Erkrankung entspringt jenem Teil von uns, der uns atmen, verdauen, bewegen und leben läßt; sie wurzelt in den tiefsten Tiefen unseres Wesens, in unserer eigenen Vitalität, in dem kleinen, unschuldigen Kind, das wir einst mal waren.

Dieses Kind haben wir zwar schon lange vergessen, aber es herrscht noch immer über unsere Instinkte und über unseren Überlebenswillen: Das Kind ist die Instanz, die uns krank werden läßt – und das Kind kann uns auch wieder heilen.

Krankheit: Eine Botschaft unseres inneren Kindes

Genau wie die Träume ist auch die Krankheit mit diesem unbewußten und instinktiven Teil unseres Wesens verknüpft. Tatsächlich ist eine der wichtigsten Entdeckungen der Psychoanalyse die Erkenntnis gewesen, daß unser inneres Kind Symbole verwendet, um mit uns zu kommunizieren: Es spricht die Sprache der Träume.

Dementsprechend ist die Krankheit Symptom und Symbol zugleich. Symptome sind selbst Symbole, weil sie uns auf ganzheitliche Weise viele unterschiedliche Informationen vermitteln, die unser Bewußtsein sonst ignorieren würde.

Tatsächlich haben die Begriffe «Symbol» und «Symptom» vieles gemeinsam. Beide stammen aus dem Griechischen. «Symbol» bedeutet «zusammenfügen, unterschiedliche und gegensätzliche Elemente eng zu einem Ganzen verbinden». «Symptom» dagegen stammt von der Wurzel «syn» ab, die ebenfalls «zusammenfügen» bedeutet, sowie von «pipto»: «Ich stürze, ich werde zerrüttet». Ein Symptom ist also eine Synthese von Unfällen, verschiedener Formen des Stürzens, der Mißgeschicke.

So erscheint uns die Krankheit also als symbolischer Absturz, und genauso sollten wir sie auch betrachten, wenn wir ihre Bedeutung erkennen wollen.

Doch für unseren abendländischen analytischen Verstand ist es unmöglich, etwas zu erfassen, das die Gegensätze in sich vereint. Denn er gründet auf der Logik, auf dem Prinzip der Widerspruchsfreiheit. Wollen wir die scheinbar widersprüchliche Bedeutung eines Symbols erfassen, müssen wir daher über die Logik hinausgehen und unsere Intuition gebrauchen.

Ist er mit Krankheit konfrontiert, wird der analytische Verstand daran nur die «schlechte» oder «negative» Seite sehen. Unsere Intuition jedoch kann die Krankheit als Symbol verstehen und nach der positiven Seite Ausschau halten, nach der Heilungsmöglichkeit, die sich hinter ihrem destruktiven Äußeren verbirgt. Das tun wir ohnehin schon instinktiv, wenn wir uns mit «leichteren» Erkrankungen beschäftigen, die wir für ungefährlicher als andere halten.

Was geschieht, wenn ein Symptom es uns unmöglich macht, zur Arbeit zu gehen? Ganz einfach: Wer nicht gerade ein ausgesprochener Workaholic ist, wird der Situation das Beste abgewinnen, wird die gute Seite daran sehen und zuhause bleiben, um sich auszuruhen. Und unser Hausarzt wird bestätigen, daß dies bei den meisten gesundheitlichen Problemen tatsächlich die beste Therapie ist.

Durch dieses Symptom wollte unser Körper, wollte unser Unbewußtes uns nur darum bitten, innezuhalten und uns auszuruhen. Und nach ein paar Tagen – oder sogar schon nach wenigen Stunden – fühlen wir uns wieder gut. Was ist da passiert? Unser inneres Kind brauchte einfach nur etwas Zeit und Aufmerksamkeit. Es hat sein Bedürfnis auf symbolische Weise kundgetan, wir haben die Botschaft intuitiv verstanden – und das Symptom ist wieder verschwunden.

Manchmal sind Symptome freilich sehr viel beunruhigender und können uns schreckliche Sorgen bereiten. Dann nimmt die verzehrende Angst alle unsere Kräfte in Anspruch, und für unsere instinktive, selbstheilende Intuition bleibt nichts mehr übrig. Dann bitten wir den rationalen Verstand um Hilfe – aber nicht einmal *unseren eigenen*, sondern den des Arztes. Aber selbst angesichts der schlimmsten gesundheitlichen Probleme wäre es immer noch ein Fehler, die symbolische Bedeutung unserer Erkrankung aus dem Auge zu verlieren – eine Bedeutung, die wir ausdeuten und als Schlüssel zur Selbstheilung verwenden könnten.

Die symbolische Sprache einer Mitteilung zu verstehen, bedeutet, ihren ursprünglichen Archetyp zu bestimmen, das Symbol also, dem diese Sprache entspringt.

C. G. Jung zufolge sind Archetypen Symbolreihen, die unser Unbewußtes ausmachen und die sich als angeborene oder vererbte, universale seelische Strukturen manifestieren – als eine Art kollektives Bewußtsein.

Archetypen «sprechen» zum Menschen durch Legenden und Mythen. Der Begriff «Mythos» ist griechischen Ursprungs und hat eine ähnliche Bedeutung wie das Wort «erzählen».

Die Theologie und die Literatur aller Kulturen und Zeitalter bieten ausreichend Hinweise auf die kreative Kraft der Archetypen. Archetypen wie der Held, der Magier, die Liebenden, der Wagen, der Teufel finden sich in derart vielen Sagen und Erzählungen, daß ihre unterschiedlichen Darstellungen schier endlos sind.

Doch sind diese Archetypen nicht etwa nur im Unbewußten des Dichters lebendig, sondern in jedem einzelnen von uns. Ab und zu manifestieren sie sich auch in jedem Leben, aber weil sie dem rationalen Verstand als widersprüchlich und absurd erscheinen, begegnen wir ihnen nur in verkleideter Gestalt.

Die vielen Verkleidungen der universellen Archetypen sind unsere Träume, unsere Krankheiten, jene rätselhaften und unvorhersehbaren Zufälle, die manche Menschen im Laufe ihres Lebens erleben. In dieser Hinsicht legt unsere Biographie Zeugnis davon ab, auf welche Weise diese Archetypen unser Leben beeinflussen – und die Krankheit ist ein wesentlicher Bestandteil dieses Lebens.

Unser inneres Kind sendet uns, wie wir schon feststellten, Botschaften aus den Tiefen unseres Unbewußten. Manchmal macht es uns krank und läßt uns danach wieder genesen. Es liebt das Spiel mit Symbolen. Bitten wir es also darum, gemeinsam mit uns mit den Archetypen des Tarotblatts zu spielen!

Intuitiver und divinatorischer Tarot

Der Tarot gehört zu den ältesten aller bekannten Spiele: Es heißt, daß alle anderen Spielkarten sich vom Tarot ableiten. Das Tarotblatt unterscheidet sich dadurch von allen anderen, daß es noch immer die 22 Archetypen in Form der 22 Großen Arkana enthält; hinzu kommen die Kleinen Karten, wie wir sie auch in den anderen Blättern finden. Um mit dem Tarot spielen zu können, bedarf es daher nicht allein unserer analytischen Fähigkeiten, sondern auch unserer Intuition und Kreativität.

Im Laufe der Zeit wurden jedoch auch andere Spielweisen für den Tarot entwickelt, die die Rolle der Intuition stark einschränken. Traditionell wird der Tarot von zwei Menschen gespielt: von der Person, die die Fragen stellt, und von der anderen, die sie beantwortet, indem sie die Karten deutet, die sie zuvor dem Blatt entnommen hat. Eine solche Deutung wird dadurch möglich, daß der Tarotdeuter (oder die Tarotdeuterin) den Sinninhalt der Karten bereits kennt.

Die Bedeutung der Karten läßt sich auf zweierlei völlig unterschiedliche Weise erfahren: 1) Sie kann schon Teil unseres Wissens, unserer Vergangenheit sein; 2) wir können sie im ersten Augenblick erfassen, da die Karten dem Blatt entnommen werden – damit verlassen wir uns auf unsere Fähigkeit, den symbolischen Zusammenhang der Karten im Hier und Jetzt zu «sehen».

Bei der ersten Methode wird die Bedeutung jeder Karte vorher festgelegt; bei der zweiten hingegen wird ihr Sinn erst aus der Kreativität und der Intuition sowohl des Fragenden als auch des Deuters im selben Augenblick entwickelt, da das Spiel beginnt. Diese beiden unterschiedlichen Vorgehensweisen bezeichnet man als divinatorischen und intuitiven Tarot.

Da der Mensch mit seiner Intuition nur wenig vertraut und außerdem noch geistig träge ist, hat sich die Angewohnheit, mit einem festgelegten Satz von Bedeutungen zu operieren, im Laufe der Jahrhunderte festgeschrieben. Daraus ist eine anerkannte Tradition geworden, und es liegt nicht in unserer Absicht, diese anzufechten. Allerdings möchten wir dem Leser auch folgendes zu bedenken geben: Wenn der Tarot ein Spiegel sein sollte, ein Spiegel nämlich, der jene Bilder, die wir darin sehen können, bereits vorher enthielte, dann wäre das doch wohl eigentlich ein äußerst sonderbarer Spiegel.

Dieses Buch kann und will daher auch gar nicht sämtliche möglichen Bedeutungen der Karten wiedergeben, obwohl es durchaus alle Großen und Kleinen Arkana erklärt. In allererster Linie erhoffen wir uns davon, daß der Leser dadurch lernt, sich so unbeschwert wie irgend möglich auf seine eigene Intuition zu verlassen. Die hier angebotenen Deutungen sind also nur als Beispiele zu verstehen.

Das gleiche gilt für die Krankheiten und ihre Symptome, die wir im Zusammenhang mit dem Symbolinhalt der jeweiligen Karte analog erläutern werden. Die Krankheitsbilder, die wir im Lichte eines bestimmten Archetyps beschreiben, sind nicht die einzigen, die für diesen in Frage kommen. Vielmehr sollen sie nur beispielhaft zeigen, wie man eine intuitive Verbindung zwischen Symptom und Symbol herstellt.

Die Reihenfolge der Großen Arkana

Unter den vielen Theorien über den Ursprung des Tarot, von denen bis heute keine einzige zweifelsfrei bewiesen werden konnte, geben die Verfasser dieses Buchs einer den Vorzug: Sie besagt, daß es sich beim Tarotspiel tatsächlich um ein Buch handelt.

Die Priester des alten Agyptens wollten der Nachwelt ihr esoterisches Wissen überliefern, und da sie um die Probleme wußten, die dieses Vorhaben mit sich brachte, überlegten sie sich ein Mittel, um das Gelingen sicherzustellen.

Uns gefällt diese Interpretation nicht nur, weil sie so faszinierend und pittoresk ist, sondern weil wir an der Numerierung der Großen Arkana vom Narren (0) bis zur Karte Die Welt (21) erkennen, daß sie tatsächlich eine Reihenfolge haben und eine Geschichte erzählen, wie es auch ein Buch tut.

Ihre Geschichte handelt vom Menschen auf diesem Planeten Erde und von der Entfaltung des menschlichen Bewußtseins: eine symbolische Geschichte, die allerdings nicht vor dem Hintergrund von Zeit und Raum spielt, wie es gewöhnliche Geschichten tun, sondern vor der Ewigkeit selbst.

Der Tarot besitzt eine Kreisstruktur, und da der Kreis der erste Archetyp ist, der alle anderen in sich birgt, folgt seine Geschichte ebenfalls einem Kreisverlauf.

Der Tarot erzählt davon, daß auf der weißen Leinwand des universalen Bewußtseins plötzlich der Narr erschienen ist, der Unschuldige, das Kind. Er beginnt im Zustand der Unbewußtheit, mit einer dualistischen Sicht der Welt, und gewinnt durch eine Vielzahl von Fährnissen und Erkenntnisprozessen erneut das Bewußtsein um sich selbst und die Welt wieder; er kehrt nach Hause zurück und betritt einmal mehr die weiße Leinwand, aus der er einst hervorgetreten ist. Diesmal jedoch bringt er die vielen Farben seiner neugewonnenen Erfahrungen mit.

Das ist eine sehr alte Handlung, die wir in vielen Geschichten und Legenden vorfinden, beispielsweise auch im Evangelium und seinem Gleichnis vom verlorenen Sohn. Es ist die Geschichte vom jungen Helden, der sein Heim verläßt, sei es freiwillig oder schicksalsbedingt, um schließlich nach einer endlosen Folge von Abenteuern, von Hochs und Tiefs, nach Hause zurückzukehren.

Jedes Stadium seiner Reise ist in einem Archetyp enthalten, nämlich in einem der Großen Arkana, und durch die vielen verschiedenen Aspekte des Symbols wird diesem den mannigfachsten Ausdruck verliehen.

Wir werden noch auf einige dieser Aspekte bei unserer Beschreibung der Großen Arkana zu sprechen kommen. Dazu beginnen wir mit dem Narren, der die Zahl Null trägt und den man ebensogut an den Anfang wie ans Ende der Reihe stellen kann, da er sowohl Teil von dieser Welt ist als auch wiederum nicht: Er tritt einfach aus der weißen Leinwand hervor, auf dem unser Film gerade beginnt; gleichzeitig aber verschwindet er auch gerade wieder darin.

Diagnose und Therapie mit Hilfe der Großen Arkana

Nimmt man alles zusammen, stellen die Trumpfkarten zugleich unsere Probleme als auch deren Lösung dar: Die positiven Aspekte eines jeden Arkanums sind bereits in sich eine Therapie der negativen Seiten derselben symbolischen Wirklichkeit, die sich als Erkrankung materialisiert. Auf die Beschreibung der Großen Arkana folgen hier Vorschläge für die Therapie und Beispiele dafür, wie dieses Potential voll ausgeschöpft werden kann. So kann aus jedem Arkanum eine Meditation werden, eine Psychotherapie, eine konstruktive Affirmation, ein Verhaltensmuster, eine Körperübung.

Darüber hinaus werden wir auch einige Bachblütenessenzen empfehlen, kalifornische Blütenessenzen, Heilpflanzen und Edelsteine.

1) Bei den Bachblütenessenzen und den kalifornischen Blütenessenzen handelt es sich um eine Art alternativer Medikamente, um eine Medizin, die dem psychosomatischen Ansatz unseres Buch am besten entspricht. Diese Essenzen sollen nicht etwa die Symptome kurieren; vielmehr wirken sie auf die Energiequalität des Erkrankten, auf seine psychische «Tönung», seine Stimmungen, Gefühle, seine Persönlichkeit ein. Sie sind leicht in jeder Apotheke zu beschaffen, und ihre Dosierung ist völlig unkompliziert: einfach nur viermal am Tag vier Tropfen unter die Zunge geben.

2) Was die Phytotherapie betrifft, haben wir den Symptomen weitaus mehr Augenmerk gewidmet. Die von uns empfohlenen Pflanzen wurden jedoch ebenfalls wegen ihrer energetischen Qualitäten ausgesucht: Sie sollten sie unter Aufsicht Ihres Phytotherapeuten einnehmen.

3) Ein altes alchemistisches Sprichwort besagt: «Edelsteine, Kristalle und Halbedelsteine sind Spiegelungen der Sterne, die sich im Gedärm der Erde kristallisieren.» Edelsteine und Kristalle sind voll des Lichts: Durch ihre geometrische Struktur und ihre Farben drücken sie dieselben Energiequalitäten aus, wie es die Sterne nach astrologischer Lehre tun.

Kristalle werden schon jahrhundertelang zu magischen und therapeutischen Zwecken verwendet. In der heutigen Technik dienen sie zur Übertragung und Verstärkung von Energien in Lasergeräten wie in Computern. Wir empfehlen unseren Lesern, Edelsteine zu gebrauchen, um einen Zugang zu ihren Heilkräften herzustellen und diese zu verstärken. Das läßt sich auf vielerlei Arten bewerkstelligen, und es gibt auch eine Menge Literatur zu diesem Thema. Die einfachste Methode der Selbstheilung mit Edelsteinen besteht jedoch darin, einen Kristall in ein Glas Wasser zu geben und dieses Wasser über den Tag verteilt einzunehmen; ebenso kann man aber auch einen Kristall an einer Halskette tragen, so daß er die nackte Haut berührt.

DIE GROSSEN ARKANA

0 Der Narr

Der Narr schwebt mitten in der Luft zwischen Himmel und Erde. Er befindet sich zwar in dieser Welt, gehört aber noch nicht zu ihr. Er badet im goldenen Licht des Morgens: Anstatt zu schreiten, tanzt er auf seinem Weg durch die Welt.

Der Wind scheint seine sanften Schritte zu lenken. Am auffälligsten empfinden wir an dieser Karte seine strahlende Schönheit und seine Tollkühnheit.

Der Narr zieht von Glück erfüllt dahin, er ignoriert, was ihn erwartet, ohne sich um seine Zukunft zu sorgen. Es heißt, daß es einen Schutzengel gibt, der über Menschen wie ihn wacht: über die Unschuldigen und die Kinder.

Ein Hund folgt ihm auf den Fersen. Wir wissen nicht, ob der Hund mit ihm spielt, froh darüber, einem ebenso unschuldigen Wesen begegnet zu sein, wie er selbst eins ist, oder ob er versucht, ihn zu beißen; denn Hunde stehen auch für Aggressivität und den Haß, den die Unschuldigen und die Narren in uns auslösen.

Die Furchtlosigkeit unschuldiger Narren provoziert unsere eigenen Ängste, und wenn sie uns überwältigen, wenn wir zulassen, daß die Angst die Gewalt über uns erringt, werden wir selbst verrückt.

Das sind die beiden unterschiedlichen Gesichter des Narren: das eine ist positiv, das andere negativ. Auf der einen Seite haben wir den unschuldigen Toren, der fröhlich durchs Leben tanzt, auf der anderen dagegen einen Wahnsinningen, der von seinen Ängsten gelähmt ist, ein Gefangener seiner eigenen Obsessionen, der vor der Welt und dem Leben in ein imaginäres Gefängnis flieht.

Der Wahnsinninge ist derjenige, der eines Morgens aus dem Haus gegangen ist, sich in der Welt verirrt hat und nun verloren umherschweift, der seinen Verstand, ja der sich selbst verloren hat und dem dadurch auch jede Beziehung zur objektiven Wirklichkeit und zu seinem eigenen Körper verlustig gegangen ist.

Die somatische Alternative zum Wahnsinn, zur Geisteskrankheit, ist der «Wahnsinn» unserer Körperzellen, ihr diskordantes und abnormes Wuchern. Folglich könnte die somatische Entsprechung des Schwachsinns der Krebs sein, ebenso AIDS und alle anderen Formen der Erkrankung des Immunsystems; denn das Immunsystem darf man als den Zellverstand des Körpers begreifen.

Dem Narren, der ja auch als «geistesgestört» gilt, lassen sich noch andere Krankheiten zuordnen. So zum Beispiel Erkrankungen des Gleichgewichtsorgans im Ohr; oder auch Erkrankungen der Wirbelsäule und der Beine wie Gicht, Arthrose, Ischias und Wirbelverschiebung – alle diese Beschwerden weisen nämlich auf eine ungenügende Erdung hin.

Das Spektrum der Krankheiten, die sich dieser Trumpfkarte zuordnen lassen, ist groß; noch größer aber wird es, wenn wir im Wahnsinn auch den Gegensatz zum unschuldigen Vertrauen auf das Leben sehen, wenn wir uns auf die negative Seite der Karte konzentrieren. In diesem Sinne ist Wahnsinn eine Lebensflucht, sind alle Erkrankungen in gewisser Weise eine Somatisierung und ein Versuch des Entfliehens.

Therapien

Wir wissen alle, daß wir ab und zu ein wenig «gesunde Verrücktheit» brauchen, um aus dem behaglichen, aber letztlich doch nur verkrüppelnden Gefängnis unserer Alltagsroutine auszubrechen. Wenn wir uns niemals von den tausend Aufgaben und Pflichten befreien, die eine allzu strikte Persönlichkeit uns meistens auferlegt, bleibt als einzige Möglichkeit, eine derart unerträgliche Last abzuschütteln, die unbewußte Entscheidung für den Wahnsinn.

Wer sich also im Narren-Syndrom wiedererkennt, der sollte sich gelegentlich «homöopathische Dosen» des Wahnsinns gönnen. Diese «Medizin» mag zwar vielleicht gegen unsere Gewohnheiten verstoßen, absurd scheinen und uns in Verlegenheit bringen, aber dafür kann sie uns auch die Lebensfreude zurückgeben. Vielleicht leisten wir uns aber auch irgendein harmloses Spiel, bei dem wir uns wieder fühlen wie jenes langvergessene Kind, das wir einmal waren: Dieses Kind ist immer noch da und wartet darauf, aufs neue entdeckt zu werden. Es liegt ganz bei uns.

Ein gutes Beispiel dafür wäre es, uns täglich etwas Zeit und Freiraum zu schaffen, um uns die verrückteste Musik anzuhören, die wir nur auftreiben können, und dabei so aberwitzig-wild zu tanzen, wie wir nur können. Ein weiteres Beispiel wäre auch die Lach-Meditation, bei der man so wild lacht, wie es nur geht – und zwar völlig ohne jeden Grund.

Außer dem Heilungstarot empfehlen wir auch Affirmationen als Mittel der Therapie. Damit können wir nämlich die negativen Suggestionen ersetzen, die wir unbewußt in unserer Psyche gespeichert haben – das ist dann so, als würden wir unserem Computer einen neuen Speicher verpassen.

Affirmationen:
- *Ich vertraue, ich lasse mich vom Lebensstrom tragen.*
- *Ich erlaube mir, das Geschenk des Lebens hier und jetzt zu genießen.*
- *Sorge dich nicht, sei glücklich!*

Essenzen:

Bachblüten:

Clematis (weisse Waldrebe); Cherry Plum (Kirschpflaume); Rock Water (Quellwasser); Scleranthus (einjähriger Knäuel).

Phytotherapie:
- Avena sat. (Hafer); Panax ginseng (Ginseng) – Nervenstreß
- Hypericum perf. (Johanniskraut); Thymus (Thymian) – Depression.
- Eschscholtzia calif. (Eschscholtzie); Passiflora inc. (Passionsblume) – Angstzustände, Schlaflosigkeit.
- Equisetum (Schachtelhalm) – Knochenerkrankungen durch ungenügende Erdung.

- Salvia off. (Salbei); Echinacea (Sonnenhut) – Ausgleich des Immunsystems.

Edelsteine:

Rauchquarz: hat eine beruhigende und entspannende Wirkung und unterstützt die Zentrierung und Erdung.

Pyrit: fördert den Optimismus und stärkt den gesunden Menschenverstand.

I Der Magier

Der Magier genießt dieselbe Energie wie der Narr und steht im selben goldenen Licht, doch anders als beim Narren ruhen seine Beine fest auf der Erde.

Der Magier ist umgeben von üppiger Vegetation. Gleichzeitig steht er in Verbindung mit dem Himmel, nämlich durch die Energie seines magischen Stabs – ein Symbol der Macht, die er durch Bewußtheit bemeistert hat und auch zu weltlichen Zwecken verwenden kann, indem er mit den vier Elementen spielt.

Die vier Farben des Blatts, Schwerter, Stäbe, Kelche und Münzen, liegen als Werkzeuge zu seiner Verfügung auf dem Tisch. Sie symbolisieren die Grundenergien des Lebens: Luft, Feuer, Wasser und Erde.

Seine rotweiße Kleidung steht für seine Reinheit und das Feuer seiner schöpferischen Energie. Diese Energie ist unbegrenzt, was wir an dem Symbol der Unendlichkeit erkennen, das über seinem Kopf zu sehen ist: Ihm ist jedes Spiel, jede Schöpfung, jede Transformation möglich.

Alles liegt in seinen Händen, und diese Hände zeigen das Geheimnis seiner Macht, die Energieverbindung, den elektrischen Bogen zwischen den beiden Polaritäten von Erde und Himmel. Der Magier will uns offenbar mitteilen, daß diese Vereinigung von Himmel und Erde den Pflanzen und Blumen um ihn herum sowie allen Wesen auf der Erde das Leben schenkt.

Was uns also am Leben und bei Gesundheit hält, ist unsere spontane Fähigkeit, innerhalb der Energieverbindung zu verweilen, die der Magier unentwegt herstellt, während jedes Hindernis, das diesen niemals endenden Strom blockiert, uns krankmacht.

Dieser Verbindung, die wir gerade beschrieben haben, scheint im körperlichen Bereich der Atmung am nächsten zu kommen. Der Magier des Tarot gleicht dem Merkur, dem mythischen Götterboten.

In der griechischen Sage war Merkur der Gott der Kommunikation und des Austauschs. Zugleich regierte er über die Atmungsorgane, das Nervensystem und die Funktionstüchtigkeit unserer Leber und Bauchspeicheldrüse. Erkrankungen dieser Organsysteme und Körperfunktionen stehen daher in Verbindung zu den Problemen, die wir möglicherweise bei der Aufnahme von Energien aus der Außenwelt und bei der Aufrechterhaltung einer Beziehung zu dieser Energie haben mögen.

Die Lebensenergie strömt von unten in unseren Körper ein, durch die Fußsohlen und Beine, ebenso von oben durch Hände, Arme und Kopf. Diese beiden Energieströme verschmelzen miteinander im Rumpf, dessen Organe, vor allem Lungen, Leber und Bauchspeicheldrüse, die Aufgabe haben, sie aufzunehmen und unseren gesamten Organismus damit zu speisen.

Dieses Große Arkanum kann also auf Erkrankungen der Atmungsorgane und des Nervensystems hinweisen, wobei erste eine unmittelbarere Beziehung zu den Elementen Luft und Feuer haben, letztere dagegen zu Leber und Bauchspeicheldrüse wie auch zu den Elementen Wasser und Erde.

Man sollte in diesem Zusammenhang nicht vergessen, daß Erkrankungen des Nerven- und Atemapparats zwar durch eine ungenügende Aufnahme von Energie entstehen können, daß Leber- und Bauchspeicheldrüsenbeschwerden jedoch häufig die Folge eines Energieüberschusses sind, den diese Organe nicht verkraften können.

Magie ist das, womit wir Tag für Tag unbewußt unsere eigene Existenz erschaffen, eine faszinierende und berauschende Angelegenheit: Es kann leicht geschehen, daß wir sie zum Exzeß treiben und trunken davon werden.

Wenn dies geschieht, wird der Mensch visionär und größenwahnsinnig, dann genügen ihm die zur Verfügung stehenden Möglichkeiten nicht mehr, und die Zeit scheint viel zu kurz für das, was er erreichen will. Mit anderen Worten, er erkennt seine Grenzen nicht mehr, sieht nicht, was seine Gesundheit gefährdet: Wenn Leber und Bauchspeicheldrüse erkranken, liegt das an unseren Exzessen.

Therapien

Ein Reisender gelangte eines Tages zufällig in den Himmel. Der hinduistische Himmel ist ein Ort, wo alle Wünsche sofort in Erfüllung gehen, weil es dort Bäume gibt, die dafür sorgen.

Der Mann war müde und erschöpft, und so schlief er unter einem dieser Bäume ein. Als er erwachte, war er hungrig, und so sagte er: «Ich habe Hunger. Ich würde gern etwas essen.» Sofort erschienen aus dem Nichts jede Menge köstliche Speisen. Der Reisende war so hungrig, daß er aß, ohne sich darüber zu wundern, daß plötzlich so viel Nahrung erschienen war. Doch kaum war er damit fertig, als er Durst verspürte und sich einen guten Wein wünschte.

Und tatsächlich – sofort erschien köstlicher Wein. Als der Mann davon trank und sich im Schatten ausruhte, begann er sich zu fragen: «Was ist hier los? Träume ich nur, oder sind hier überall Gespenster, die mir Streiche spielen?»

Da erschienen plötzlich die Gespenster, und die sahen so gräßlich und furchterregend aus, daß dem Mann geradezu zwanghaft der Gedanke überfiel: «Oh weh, jetzt werden sie mich bestimmt umbringen!» Und so wurde er umgebracht.

Das ist eine uralte Parabel, die der erleuchtete indische Meister Osho folgendermaßen kommentiert hat: Unser Geist ist wie ein Wunschbaum, was immer wir denken, wird früher oder später geschehen. Manchmal liegen Wunsch und Erfüllung so weit auseinander, daß wir darüber die Tatsache vergessen, daß wir es sind, die für das verantwortlich zeichnen, was uns widerfährt; wenn wir aber sorgfältig genug darauf achten, werden wir begreifen, daß unser Denken ganz langsam nach wie vor unser Leben erschafft.

Unsere Gedanken erschaffen Himmel und Hölle, sie können uns ebenso glücklich wie unglücklich machen. Wir sind alle Magier, wir alle weben eine magische Welt um uns herum, bis wir schließlich darin zu Gefangenen werden: Die Spinne wird zur Gefangenen ihres eigenen Netzes.

Der unbewußte Magier macht uns krank, aber der bewußte macht uns gesund.

Wir sind alle für unsere Mißgeschicke selbst verantwortlich, ermahnt uns die Parabel. Aber gerade aus diesem Grund können wir auch unsere eigenen Heiler werden, sofern wir uns dieser Tatsache nur bewußt werden.

In diesem Sinne steht der Magier daher auch als Symbol für unseren «Tarot der Heilung», dessen wesentlichstes therapeutisches Element das Bewußtsein um die symbolische Bedeutung der Symptome ist.

Wer das Magier-Syndrom bei sich beobachtet, dem können Hypnosetherapie nach Ericson und NLP helfen. Tiefatmung und die Techniken des Rebirthing können dabei ebenfalls hilfreich sein.

Affirmationen:
- *Ich bin frei.*
- *Je verantwortungsvoller ich bin, um so freier werde ich.*
- *Mir steht unerschöpfliche Energie zur Verfügung.*

Essenzen:

Bachblüten:

Olive (Olive).

Kalifornische Blüten:

Blackberry (Brombeere); Dill (Dill); Selfheal (kleine Braunelle); Startulip (Katzenohr).

Phytotherapie:

- Thymus (Thymian); Hyssopus off. (Ysop); Inula helenium (Alant); Tussilago farf. (Huflattich); Verbascum (Königskerze) – Erkrankungen des Atemapparats.
- Avena sat. (Hafer); Matricaria cham. (Kamille); Passiflora inc. (Passionsblume); Melissa off. (Melisse); Chelidonium (Schöllkraut); Valeriana off. (Baldrian); Eleutherococcus (sibirischer Ginseng) – Erkrankungen des Nervensystems.
- Arctium lappa (Klette); Morus nigra (Maulbeere); Mentha pip. (Pfefferminz); Cynara scolymus (Artischocke); Taraxacum off. (Löwenzahn) – Erkrankungen der Bauchspeicheldrüse und der Leber.

Edelsteine:

Rutilquarz: stärkt das Immunsystem und die Genesungskräfte.

Smaragd: sorgt für ausgeglichenes Gemüt und stärkt Nervensystem und Leber.

Chrysolith: beeinflußt Leber und Bauchspeicheldrüse positiv, beruhigt und entspannt die Nerven.

II Die Hohepriesterin

Anders als die beiden vorhergehenden Karten ist die Hohepriesterin nicht im Sonnen- sondern im Mondlicht gebadet: Tatsächlich ist die Hohepriesterin das weibliche Gegenstück zum Magier, sie stellt die andere Polarität dar.

Der Magier vollführt seine phantasmagorischen Tricks und zieht seine Show ab, während die Hohepriesterin nur zusieht; sie ist eine unbeteiligte und konzentrierte Beobachterin, die uns direkt ins Auge blickt, und mit ihrem Blick durchbohrt sie uns. Die Hohepriesterin ist zwar Zeugin der Vorführung, bleibt aber davon unberührt. Ihr Blick ist so unparteiisch und meditativ wie der eines Buddha.

Wegen seiner Unschuld gehörte der Narr nicht in diese Welt; die Hohepriesterin gehört wegen ihrer Jungfräulichkeit nicht dazu. Und doch wird diese Jungfrau einst den Samen des Narren empfangen, seine Energie, den Heiligen Geist, und Mutter werden – nämlich die Herrscherin, die wir im nächsten Arkanum vorfinden werden.

Das ist auch der Prozeß, den sie selbst symbolisiert. Ihm zu widerstehen und ihn zu leugnen, würde bedeuten, daß wir auf unnatürliche Weise nur an einem einzigen Aspekt dieser Karte festhalten, nämlich der makellosen Unbeteiligtheit, die sie symbolisiert. Auf somatischer Ebene würde unser Widerstand zu einer Blockade, zu einer Erkrankung unserer Geschlechtsorgane: Wenn die Sexualität abgelehnt wird, wird aus der Jungfrau eine verbitterte alte Jungfer.

Diese Karte weist auf Probleme mit den Geschlechts- und Fortpflanzungsorganen hin. Die Weigerung, sich mit weltlichen Dingen zu befassen, kann zu (sexueller) Appetitlosigkeit führen.

Therapien

Die Hohepriesterin hält die Thora in den Händen, das heilige Buch des Judentums, doch ihr Blick zeigt uns, daß sie nicht daran verhaftet ist, denn ihre Spiritualität geht über das Befolgen starrer Regeln weit hinaus.

Der Blick der Hohepriesterin scheint uns zu ermahnen, daß nur die Meditation uns heilen kann, wenn wir allzu sehr einem moralischen und religiösen Dogma verhaftet sind wie auch Regeln aller Art und aus dem Verhaftetbleiben eine Bühne nur scheinbarer Spiritualität und spiritueller Aristokratie errichten.

Der unparteiische Blick der Meditation löst dieses Verhaftetsein auf, ebenso die Blockaden, die uns daran hindern, im Strom des Lebens loszulassen. Dies geschieht sowohl auf somatischer wie auch auf psychischer Ebene. Die Meditationstechnik, die der Hohenpriesterin am angemessensten ist, oder auch jede beliebige andere Meditation kann angewandt werden, solange sie nicht zu einer neuen Regel, einer neuen Verhaftetheit wird.

Manchen Leuten würde es jedoch schwerfallen, in der Meditation aufzublühen, bevor sie nicht ihre Wurzeln tief im Schlamm der Welt geschlagen haben. Es gibt Menschen, die sich davor fürchten, sich von der materiellen Welt beschmutzen und anstecken zu lassen. Andere sind so besessen von Regeln, daß sie nicht einmal die natürlichsten Regeln selbst akzeptieren können, beispielsweise den Menstruationszyklus, oder sie werden zu Sklaven ihrer eigenen Ängste, wie beispielsweise die Hygienefanatiker, die sich schließlich vor dem Leben selbst fürchten.

Sollten Sie dazu gehören, wäre es zu empfehlen, einige der nun geschilderten Rituale zu befolgen, bevor Sie sich zur Meditation hinsetzen. So könnten Sie sich beispielsweise 1) die Zeit nehmen, die Erde, auf der Sie sich niederlassen wollen, erst einmal mit den Händen zu befühlen; 2) mit Ton spielen, wie es Bildhauer tun, um das Formen zu lernen; 3) ein Thermalbad aufsuchen und den Körper mit einer Schlammpackung heilen; 4) eine Ton-Kur ausführen, bei der Sie medizinische Tonerde einnehmen und den Körper reinigen.

Affirmationen:

Je mehr ich mich dem Neuen und dem Unbekannten öffne, um so lebendiger fühle ich mich.

Essenzen:

Bachblüten:

Crab Apple (Holzapfel); Rock Water (Quellwasser); Water Violet (Sumpfwasserfeder).

Kalifornische Blüten:

Sticky Monkeyflower (Gauklerblume); Manzanita (Bärentraube); Sunflower (Sonnenblume); Startulip (Katzenohr).

Phytotherapie:

- Salvia off. (Salbei); Calendula off. (Ringelblume); Artemisia vulg. (Beifuß); Alchemilla vulg. (Frauenmantel); Achillea mill. (Schafgarbe); Ruta grav. (Weinraute) – Erkrankungen der weiblichen Geschlechtsorgane.
- Arctostaphylos uva-ursi (Bärentraube); Vaccinium myrt. (Heidelbeere) – Erkrankungen des Harntrakts.
- Epilobium (Weidenröschen); Sequoia gig. (Riesen-Mammutbaum) – Prostata-Entzündung.
- Turnera aphrod. (Damiana); Satureja (Kölle) – sexuelle Antriebslosigkeit.
- Angelica arch. (Engelwurz); Gentiana lutea (gelber Enzian); Trigonella foenum graecum (Bockshornklee) – Appetitlosigkeit und Magersucht.

Edelsteine:

Amethyst: unterstützt die Meditation und regt die Selbstheilungskräfte an.

Mondstein: hilft, die eigene Weiblichkeit zu akzeptieren, indem er Probleme der weiblichen Geschlechtsorgane löst.

III Die Herrscherin

Die Hohepriesterin wurde von der schöpferischen Energie des Magiers befruchtet und ist zur Herrscherin oder zur Mutter Natur geworden, der wahren Dame der ganzen Welt, der Göttlichen Mutter. Einige Elemente dieser Karte finden wir auch in den beiden vorangegangenen Arkana. Das hilft uns dabei, den Prozeß oder Vorgang zu verstehen, der hier gerade stattfindet. Der Wandteppich hinter der Hohepriesterin war mit Granatäpfeln geschmückt, deren Eiform auf ein schöpferisches Potential hinwiesen, das sie noch nicht entdeckt hatte. Aus diesem Wandbehang ist der königliche Mantel der Herrscherin geworden, während der Stab des Magiers, das Symbol seiner schöpferischen Energie, in den Händen der Herrscherin zu einem phallischen Zepter geworden ist, ein Symbol ihrer schöpferischen Kräfte.

Wie der Magier erschafft auch die Herrscherin durch das Spiel mit den vier Elementen, doch unterliegt dieses Spiel bei ihr einer strengen Regel: der von der Harmonie zwischen Luft, Wasser, Feuer und Erde.

Jedes der zahllosen Wesen, die diesen Planeten bewohnen, wird dank des richtigen Verhältnisses zwischen Wärme, Feuchtigkeit, mineralischen Salzen und dem Gasaustausch zwischen Sauerstoff und Kohlendioxyd geboren und am Leben erhalten. Der Magier herrscht über den Austausch zwischen den vier Elementen; die Herrscherin dagegen regiert über das richtige Gleichgewicht und die Harmonie dieses Austauschs.

Wo gegen diese Naturgesetze verstoßen wird, gerät das ökologische System in Gefahr, wird der harmonische Austausch und der

Übergang von einer Energieform zur anderen blockiert, wird die Natur verschmutzt, erkrankt der Leib.

Das erste Anzeichen einer Krankheit ist eine Beleidigung der Venus: Der Körper büßt seine natürliche Schönheit und Gestalt ein, er verliert seine «Harmonie» – ein Wort, das im griechischen «richtige Proportion», «richtige Beziehung» bedeutet.

Der Körper wird also häßlich oder krank, weil eins oder mehrere Elemente entweder fehlen oder im Übermaß vorhanden sind. Er wird schwer von exzessivem Fett und schwillt von exzessivem Wasser an, das im Gewebe stagniert; oder er wird innerlich ausgebrannt, vom endlosen Feuer der Verspanntheit, das ihm seine Lebensenergie entzieht. Manchmal verliert der Körper seine Biegsamkeit und Mobilität, dann scheint er eher dem Mineralreich zuzugehören als dem Tierischen. Kurz gesagt, er wird entweder zu Yin oder zu Yang, um einmal die Begrifflichkeit der traditionellen chinesischen Medizin zu benutzen.

Die Karte der Herrscherin scheint auch darauf hinzuweisen, daß alle Störungen und Erkrankungen, die mit Fruchtbarkeit, sexuellen Exzessen und Geschlechtskrankheiten zu tun haben, aus dem fehlenden Gleichgewicht zwischen Yin und Yang herrühren. Die Drüsen regeln mit ihren Hormonen einiges im Körper, und tatsächlich beruhen viele der hier erwähnten Probleme auf einem mangelnden hormonellen Gleichgewicht.

Therapien

Es heißt, daß die Frauen vor langer Zeit den Ackerbau erfanden, während die Männer jagten und Krieg führten. Wenn wir die Herrscherin mit der nächsten Karte, dem Herrscher, vergleichen, überzeugt uns das schnell davon, daß es genauso gewesen sein könnte.

Die Natur hat ihre eigenen Rhythmen und Gesetze. Wenn wir sie manchmal vergessen und nicht beherzigen, erinnert unser kranker Körper uns daran. Oft genügt es, sich um einen kleinen Garten oder eine Pflanze zu kümmern, um sich wieder auf die Natur einzustimmen, um einmal mehr die richtige Ausgewogenheit zwischen Wasser, Sonne, Luft und Erde zu spüren, deren eine Pflanze bedarf, um aufzublühen. Alle Ernährungstherapien wie beispielsweise die Makrobiotik, die auf der richtigen Beziehung zwischen den vier Elementen und den Polaritäten von Yin und Yang beruhen, sind besonders gut für die Behandlung von Erkrankungen geeignet, die zum Syndrom der Herrscherin gehören.

Es folgt nun eine Meditation, um in Berührung mit der Natur zu gelangen und zuzulassen, daß sie uns dabei hilft, unser inneres Gleichgewicht wiederherzustellen und zur lange verlorengegangenen Harmonie unseres eigenen Seins zurückzufinden: die «Berühre einen Baum mit deinem Herzen»-Meditation.

Bäume gehören zu den schlichtesten und harmonischsten Lebewesen: Wir können viel von ihnen lernen – ja, durch sie können wir unsere verlorene Unschuld und unsere Gesundheit wiederfinden. Wenn wir uns normalerweise einem Baum nähern, leben wir meistens gerade im Kopf und sind aggressiv. Deshalb fürchten die Bäume sich auch vor uns und verbergen sich in den Tiefen ihres eigenen Seins. Damit diese Meditation uns heilen kann, müssen wir sanft, liebevoll und empfänglich sein: Wir müssen uns einen schönen Baum aussuchen und ihn wie einen Geliebten oder Freund behandeln.

Berühren Sie den Baum, befühlen Sie ihn, reiben Sie Ihr Gesicht an seiner Rinde, atmen Sie seinen Geruch ein und die Gefühle, die er Ihnen beschert. Dann wird sich der Baum entspannen. Er wird Ihnen Vertrauen schenken und Sie mit seiner Energie liebevoll umarmen – und genau in dieser Umarmung liegt auch die Therapie.

Affirmationen:

- *Ich liebe mich selbst, wie ich bin.*
- *Ich vergebe meiner Mutter, daß sie … Ich danke meiner Mutter dafür, daß sie …*
- *Ich bin selbst bereit, Mutter zu sein.*

Essenzen:

Bachblüten:

Agrimony (Odermennig); Rock Rose (gelbes Sonnenröschen).

Kalifornische Blüten:

Manzanita (Bärentraube).

Phytotherapie:

- Salvia off. (Salbei) – Wiederherstellung des hormonellen Gleichgewichts.
- Feuer-Pflanzen: Allium sat. (Knoblauch); Laurus nobilis (Lorbeer); Angelica arch. (Engelwurz); Crataegus (Weißdorn); Allium cepa (Zwiebel); Raphanus sat. (Rettich); Urticaria urens (kleine Brennessel); Rosmarinus off. (Rosmarin); Capsicum (spanischer Pfeffer); Taraxacum off. (Löwenzahn).
- Wasser-Pflanzen: Arctium lappa (Große Klette); Betula alba (Birke); Spirea ulmaria (Mädesüß); Hieracium pilosella (kleines Habichtskraut); Solidago virg. (Goldrute).
- Luft-Pflanzen: Lavandula (Lavendel); Mentha pip. (Pfefferminz); Thymus (Thymian); Valeriana off. (Baldrian).
- Erd-Pflanzen: Symphitum off. (Beinwell); Equisetum (Schachtelhalm).

Edelsteine:

Amethyst: hilft bei der Meditation und regt unsere Selbstheilungskräfte an, dient als Heilmittel gegen Venus-Exzesse.

Chrysokoll: harmonisiert die natürlichen Zyklen der weiblichen Sexualität.

Chalcedon: unterstützt das Stillen und die Mutterschaft.

IV Der Herrscher

Aus dem weichen, bequemen Stuhl der Herrscherin ist hier ein harter Thron aus Stein geworden, und ebenso starr und hart ist auch die Miene des darauf ruhenden Herrschers.

Die Herrscherin hatte noch eine weiche, entspannte Sitzhaltung gehabt, ihre unbestreitbare königliche Autorität bedurfte keiner Bestätigung, keiner Unterstreichung. Der Herrscher dagegen ist verspannt und sorgt sich um seine Macht, die zu behaupten er sich anstrengt, wie auch um seine eigene Verwundbarkeit, die er zu verbergen versucht, indem er seinen Körper in einen Panzer kleidet.

Die vier in seinen Thron geschnitzten Widderköpfe gemahnen uns an die Eigenschaften dieses Archetyps. Der Widder ist das erste Tierkreiszeichen und wird vom Planeten Mars beherrscht; die martialische Energie ist eine Urkraft, die das Neugeborene zum ersten Mal zum Schreien bringt, um einer Welt seinen Willen entgegenzuschleudern, die ihre Kinder ebenso leicht verschlingt, wie sie sie hervorbringt.

Dieser männliche Archetyp bestimmt den größten Teil der menschlichen Geschichte, die Abenteuerlust und das Forschungsstreben des Menschen, sein Verlangen, die Wirklichkeit zu verändern und Macht über die Natur auszuüben, im Guten wie im Bösen.

Die Energie dieses Archetyps ist auch jene, die wir brauchen, um nicht von der Außenwelt wieder aufgesogen zu werden; es ist der Druck, den wir von innen dem Außen entgegensetzen: Als Analogie betrachtet ist es unser Blutdruck, also der Druck, den das Blut auf die Zellwände ausübt.

Ein Übermaß oder ein Mangel an dieser Energie führt zu einem zu niedrigen oder überhöhten Blutdruck, zu Kreislaufbeschwerden, zu Sklerose und Verhärtung der Haut und der Muskulatur: Es ist fast so, als würde man einen Panzer tragen wie der Herrscher, um sich vor dem Druck von außen zu schützen, von dem man fürchtet, daß man ihm mit der eigenen martialischen Energie nichts entgegenzusetzen hat.

Panzer sind, genau wie Prothesen, nur Krücken; sie können zwar vorübergehend eine Hilfe sein, lösen das Problem aber nicht grundsätzlich und verschlimmern alles nur noch, wenn sie zur Gewohnheit werden. Wir dürfen uns nicht darüber hinwegtäuschen, daß wir uns durch das Tragen eines Panzers nicht wirklich schützen können: Am Ende sind wir noch gegen die ganze Welt allergisch!

Wenn wir außerdem nicht lernen, unsere martialische Energie und unsere Aggressionen kostruktiv zu nutzen, wird das Feuer der Konflikte, die wir nicht bewältigen konnten, in unserem Innern weiterbrennen, und dort manifestiert es sich als Entzündung oder Infektion jeder Art, inbesondere in Form von Arthritis.

Sollte unser Panzer so stark geworden sein, daß wir sogar versuchen, unser Herz zu beherrschen, dann rebelliert unser Herz und warnt uns mit seinem Pochen, daß irgend etwas nicht in Ordnung ist, daß es zu einer Nekrose kommen oder es zusammenbrechen könnte. In extremen Fällen kann man den Infarkt als akute Herrscher-Erkrankung betrachten.

Therapien

All dies bedeutet natürlich nicht, daß alle Machtmenschen oder sämtliche Weltflüchtigen unbedingt von einer der gesundheitlichen Störungen betroffen sein muß, die wir hier beschrieben haben. Ihr Gesundheitszustand hängt vor allem davon ab, wie bewußt Sie den Archetyp des Herrschers ausleben.

Unter diesem Gesichtspunkt sind alle bioenergetischen und Gestalt-Therapien für jene Menschen besonders geeignet, die sich in den Syndromen dieses Archetyps wiederfinden, da sie dabei helfen, die in verschiedenen Bereichen des Körpers blockierten Energien freizusetzen und bewußt zu nutzen.

Affirmationen:

- *Ich habe das Recht zu sein.*
- *Ich habe die Macht, meine Ziele auch zu erreichen.*
- *Ich vergebe meinem Vater, daß er …*

Essenzen:

Bachblüten:

Vine (Weinrebe); Cherry Plum (Kirschpflaume).

Kalifornische Blüten:

Borage (Borretsch); Scarlet Monkeyflower (Gauklerblume); Sunflower (Sonnenblume).

Phytotherapie:

- Crataegus (Weißdorn); Tilia (Linde) – Bluthochdruck.
- Rosmarinus off. (Rosmarin); Salvia off. (Salbei) – niedriger Blutdruck.
- Urticaria urens (kleine Brennessel); Spirea ulmaria (Mädesüß); Fraxinus exelsior (Esche) – Arthritis.
- Ribes nigrum (schwarze Johannisbeere); Echinacea (Sonnenhut) – Infektionen und Entzündungen.
- Elicrisum italicum – Allergien.

Edelsteine:

Chrysopas: löst exzessive Kontrolle über das Herz auf und hilft bei Bluthochdruck.

Aventurin: stimuliert Fröhlichkeit und Lachen und lindert daher Angstgefühle und exzessive Kontrolle über das Herz.

Granat: beeinflusst positiv Arthritis und ähnliche Gelenkkrankheiten.

V Der Hohepriester

Der Hohepriester wird auch als «Hierophant» bezeichnet, ein alter Begriff aus dem Griechischen, der wörtlich übersetzt «Manifestierer des Heiligen, des Göttlichen» heißt.

Es heißt, daß die Welt zwei Dimensionen besitzt: das Sakrale und das Profane. Die Betrachtung dieser Karte zeigt uns, daß das Sakrale über dem Profanen steht, da der Hierophant oder Papst über den anderen Gestalten sitzt. Der Papst befindet sich hoch oben, auf der Spitze der Pyramide, die ihn stützt. Somit befindet er sich in einer idealen Position, um das Göttliche, das von oben kommt, zu empfangen.

Wenn der Papst rein und leer ist, wie es seine Aufgabe von ihm verlangt, wird er zu einem Durchgang, zu einem Kanal, einem Medium zwischen dem Göttlichen und der Welt dort unten, der ganzen Pyramide also, die ihn trägt. Durch ihn gelangen die Profanen, die Laien, in Berührung mit dem Göttlichen. Ist der Papst jedoch versucht, das Göttliche zu «besitzen», um damit seine eigene Macht zu mehren, blockiert dies den Energiefluß, und so wird das ganze Gebäude starr und kristallartig.

Wenn die Religion nicht mehr aus einer Beziehung zum Göttlichen mit Hilfe eines leeren Mediums besteht, eines Hohepriesters eben, sondern nur aus einem Glauben an das Göttliche, dessen Stellvertreter auf Erden der Papst ist, so wird eine ganze Reihe ideologischer und politischer Instrumente erforderlich, um das Bewußtsein der Gläubigen zu kontrollieren und zu beherrschen: Die Konsequenz dieser Situation sind Dogmatismus und Fanatismus – an Stelle einer echten Religion entsteht eine Kirche.

In einer dogmatischen und sklerotischen Struktur wird jede Neuheit als Ketzerei betrachtet, ist jede Veränderung verboten. Wir haben bereits gesehen, daß der Herrscher seinen Außenpanzer härtet. Der Papst dagegen verhärtet von innen – Symptome wie ein unausgewogener Cholesterinspiegel, Arteriosklerose, Gallen- und Nierenprobleme, Erstarrung und Verkalkung des Körpergewebes und der inneren Organe können die entsprechenden Symptome sein.

Wenn wir außerdem versuchen, am Alten festzuhalten, riskieren wir, zu ersticken. Das erkennen wir am Asthmatiker, der nicht richtig atmen kann und von Kohlendioxyd vergiftet wird, weil er die Luft in der Lunge einbehält. In gewisser Weise verhält er sich wie der Papst, wenn dieser sich weigert, die göttliche Macht «auszuatmen», die ihm gegeben wurde, und darob vergißt, was sein eigentlicher Auftrag ist.

Therapien

Die angebrachtesten Therapien für das Papst-Syndrom sind Rebirthing, Bioenergetik, tibetanische Pulstherapie sowie alle Körperarbeitstechniken, die Blockaden lösen und die Energien wieder zum Strömen bringen.

In diesem Zusammenhang möchten wir ein Gestalt-Spiel vorschlagen, das darin besteht, ab und zu unsere sämtlichen Bücher oder jedenfalls den größten Teil davon wegzuwerfen. Sollte dies unmöglich sein, empfehlen wir, dieses «Heilmittel» in homöopathischer Dosierung zu verwenden und nur jene Bücher wegzuwerfen, die einem veraltet und nutzlos erscheinen. Sollten Sie ein «Papst-Typ» sein, werden Sie in Ihrer Bibliothek mit Sicherheit viele solcher Bücher vorfinden.

Wer gar keine Bücher besitzt, die er wegwerfen könnte, der kann auch irgendeinen alten Gegenstand aus einer staubigen Abstellkammer fortwerfen.

Affirmationen:

- *Je mehr ich mich von Altem befreie, um so leichter fühle ich mich.*
- *Je mehr ich mich entspanne, um so lebendiger fühle ich mich.*

Essenzen:

Bachblüten:

Chicory (Wegwarte); Crab Apple (Holzapfel).

Kalifornische Blüten:

Sagebrush (Wermut).

Phytotherapie:

- Cynara scolimus (Artischocke); Allium sat. (Knoblauch); Olea eur. (Olivenbaum); Chelidonium (Schöllkraut); Fumaria off. (Erdrauch); Betula alba (Birke); Gentiana (Enzian) – Atherom, Arteriosklerose.
- Agropyrum repens (Quecke); Equisetum (Schachtelhalm); Rubia tinct. (Krappflanze); Arctostaphilos uva-ursi (Bärentraube) – Lithiasis.
- Pneumus boldus (Boldo); Chelidonium (Schöllkraut); Raphanus sat. (Rettich); Fumaria off. (Erdrauch) – Gallensteine.
- Corylus avel. (Haselknospen) – Leber- und Lungensklerose.
- Viburnum lantana (Schneeball-Knospen); Sambucus nigra (Holunder); Inula helenium (Alant); Hyssopus off. (Ysop) – Asthma.

Edelsteine:

Bergkristall: stimuliert, empfängt, überträgt und verstärkt Energien auf sämtlichen Bewußtseinsstufen.

Azurit: fördert die Sauerstoffversorgung des Körpers, regt die Intuition an und reinigt das Halszentrum und die Sprechwerkzeuge.

VI Die Liebenden

Bisher haben wir uns immer nur mit einer Gestalt auf einmal befaßt: Nun haben wir zwei vor uns, eine männliche und eine weibliche. Tatsächlich ist sogar noch eine dritte zu sehen, nämlich der Engel, der über ihre Vereinigung wacht.

«Die Liebe ist keine Institution», sagt uns die Karte der Liebenden, «sie kommt durch die Gnade des Engels über uns. Die Liebe ist göttlich, und wenn wir uns verlieben, werden wir selbst göttlich, weil wir im anderen Gott erkennen, weil wir in der Verschmelzung mit dem anderen zu unserer Ganzheit, unserer Göttlichkeit finden.

«Wir müssen voreinander nackt sein, so häufig es nur geht», fahren die Liebenden fort, «wir dürfen keine Geheimnisse voreinander haben, keine Schutzwälle gegen einander aufbauen, wir müssen vertrauen, müssen alles riskieren. Erst dann wird das Wissen um den anderen zum Wissen um unser eigenes Selbst, erst durch die Liebe kann sich die Bewußtheit voll zur Blüte entfalten.»

Die Liebenden haben sämtliche Gesetze und Moralvorschriften vergessen, die der Papst sie gelehrt hat, und eben dadurch haben sie sich dem Göttlichen geöffnet und den Engel der Liebe willkommengeheißen.

Die Liebe ist die wichtigste aller Therapien, sie heilt alle Syndrome. Ob wir uns dessen bewußt sein mögen oder nicht, hinter den meisten unserer Krankheiten steht tatsächlich ein Mangel an Liebe.

Die Liebe, die wir am besten kennen, ist die unserer Mutter: die Freude, von ihr genährt zu werden. Fehlt es daran, suchen wir nach einem Ersatz, schaufeln wir soviel Nahrung in uns hinein, daß unser Körper anschwillt und uns den Eindruck vermittelt, wir seien nicht mehr allein, sondern zu zweit.

Fettleibigkeit geht oft mit Diabetes einher, beides ist ein Produkt des Liebesmangels, der Lieblichkeit des Geliebtwerdens. Wenn wir in dem Versuch, diesen Mangel auszugleichen, zuviel Süßigkeiten essen, verbraucht sich unsere Bauchspeicheldrüse, so daß wir den Zucker nicht mehr richtig abbauen können.

Daraus folgt ein Überschuß an Yin-Energie im Körper, der wiederum zu einer Vielzahl von Krankheiten führen kann: Diabetes, Dickdarmkatarrh, Nieren- und Leberbeschwerden. Auch die Dermatitis von Kleinkindern durch Mangel an Körperkontakt läßt sich diesem Archetyp zuweisen.

Therapien

Alle Gruppentherapien sind nützlich, welche die richtige Atmosphäre herstellen, um nackt zu sein, um unsere Masken fallenzulassen, uns selbst und andere mehr zu akzeptieren, mehr zu lieben.

Wir können unserem Partner auch folgendes Spiel vorschlagen: Wir sitzen einander gegenüber, so daß unsere Knie sich berühren, und schauen uns einfach nur in die Augen. Wir schauen immer weiter, ohne zu sprechen; unsere Augen, die Fenster der Seele, sind weit geöffnet, weil wir nichts vor einander zu verbergen haben. Wir entspannen uns immer mehr und merken, wie schwierig es doch ist, diese Einstellung ernstgemeinter Kommunikation beizubehalten.

Wir bemerken die Masken, hinter denen unser Gesicht sich gern versteckt, wir werden uns unserer Widerstände und des Schmerzes bewußt, den wir empfinden, ja, den auch unser Partner empfindet, wenn wir uns dem Blick des anderen ausliefern. Und doch spüren wir auch die Schönheit dieses Akts des Vertrauens und der Ernsthaftigkeit: Dies ist ein Akt der Liebe. Wenn wir diese Liebe schließlich spüren können, nehmen wir unseren Partner an der Hand und teilen sie mit ihm.

Affirmationen:

- *Ich akzeptiere mich selbst, wie ich bin.*
- *Ich liebe mich selbst, wie ich bin.*
- *Je mehr ich mich selbst so liebe, wie ich bin, um so mehr liebe ich auch andere so, wie sie sind.*

Essenzen:

Bachblüten:

Holly (Stechpalme); Water Violet (Sumpfwasserfeder).

Kalifornische Blüten:

Morning Glory (Purpurwinde).

Phytotherapie:

- Fraxinus exelsior (Esche); Fumaria off. (Erdrauch); Fucus vescic. (Kelp); Arctium lappa (Klette); Solidago virg. (Goldrute); Ribes nigrum (schwarze Johannisbeere); Spirea ulmaria (Mädesüß); Zea mays (Mais) – Yin-Überschuß und Fettleibigkeit.
- Galega off. (Geissraute); Morus nigra (Maulbeere); Inula helenium (Alant); Juglans regia (Walnußblüten) – Diabetes.

Edelsteine:

Rosenquarz: gemahnt uns daran, daß das Leben für uns sorgt.

Sugilit: hilft uns, die Verbindung zwischen unseren körperlichen Beschwerden und unserem Denken und Fühlen zu erkennen.

VII Der Wagen

Wenn das Gefühl der Ganzheit, wie es durch die liebende Ekstase entsteht, die wir soeben bei den Liebenden gefunden haben, sich schließlich wieder auflöst, sind wir einmal mehr einsam und abgetrennt und durchschweifen die Welt unter dem Baldachin der Gestirnskonstellation unserer Geburt im Wagen der Existenz.

Dieser Wagen wird von geheimnisvollen Mächten gezogen, unseren «guten» und «schlechten» Instinkten, die die versteinerte Energie der Liebenden bewachen wie Sphingen. Die blauen Flügel des Engels und der Shivalingam, das rote Symbol der geschlechtlichen Vereinigung, sind jetzt nur noch Erinnerung, nur ein Wappen am Streitwagen des Wagenlenkers.

Die Liebenden waren nackt und hilflos. Unser Held dagegen ist wohlgerüstet, er trägt angenehm elegante Kleider und eine stählerne Rüstung. Um sich in unserer zivilisierten Welt zu behaupten, bedarf er des Erfolgs, der ebenfalls einen Ersatz für die Liebe darstellt: Er muß verführen, wissen, sich verteidigen und – über allem anderen – seine Intelligenz gebrauchen können.

Er muß wissen, was er will, und konstant, diszipliniert und stark sein: Das sind die Tugenden des Wagens, die Qualitäten, die er erwerben muß. Doch all das setzt Bemühung voraus; es kann sein, daß die Vorhaben seines Verstands unseren Helden belasten. Dann läuft er Gefahr, sich zu verspannen, dann können Körper und Geist erstarren; und er verliert die Verbindung zu Herz und Becken, zu seinen Gefühlen und Instinkten.

Unser Wagenlenker läuft Gefahr, zuviel Energie in seinen Kopf hineinzutreiben und den Rest seines Körpers darüber zu vernachlässigen. Dann wird der Körper zu einem mechanischen Apparat, er wird eins mit dem Wagen und unterliegt dadurch dem Verschleiß und der Zerstörung, denen sämtliche starren Mechanismen zum Opfer fallen.

Die lastentragenden Strukturen des Körpers, nämlich das Skelett und die Wirbelsäule, leiden dann unter den Stößen, denen der Wagen auf seinem Weg unweigerlich ausgesetzt ist.

Dies führt: 1) zu allen Knochen- und Gelenkerkrankungen wie Arthrosen und Bandscheibenschäden, die durch Abnutzung und Verschleiß infolge übermäßiger Bewegung entstehen; 2) zu den Erkrankungen, die ein Produkt von nervlichem Streß und von Verkrampftheit sind und mit denen wir dem Erfolg nacheifern, beispielsweise Magengeschwüre.

Therapien

Gymnastik und andere Körperaktivitäten, die nicht zielgebunden sind, wie es sportliche Leistungen oder Bodybuilding sonst anstreben, sondern dazu dienen, uns unseres Körpers bewußter zu werden.

Yoga, Tai Chi und Aikido sorgen für Entspannung und stellen Energie und Geschmeidigkeit des Körpers wieder her. Deshalb sind sie gut als Heilmittel geeignet, wie auch alle anderen antigymnastischen Techniken, beispielsweise die Eutonie sowie die Techniken nach Alexander und Mèziers.

Affirmationen:

- *Je mehr ich mich bei der Arbeit entspanne, um so bessere Ergebnisse erziele ich.*
- *Ich weiß, was ich will, und ich kann es auch erreichen.*
- *Ich bin verantwortlich für das, was ich empfange.*

Essenzen:

Bachblüten:

Larch (Lerche) und ihr Gegenstück: Oak (Eiche); Olive (Olive).

Kalifornische Blüten:
Madia (Ölmadie); Dill (Dill); Nasturtium (grosse Kapuzinerkresse); Chamomile (stinkende Hundskamille).
Phytotherapie:
- Tilia (Linde); Avena sat. (Hafer) – nervöser Streß.
- Tilia (Linde); Ficus carica (Feigenknospen); Althea off. (Eibisch) – Gastritis, Magengeschwüre.
- Harpagophytum proc. (Teufelkralle); Equisetum (Schachtelhalm); Abies pect. (Weißtanne) – Bandscheibenbeschwerden, Arthrose.

Edelsteine:
Citrin: wirkt sich förderlich auf Sonnengeflecht, Becken, Halswirbelsäule und Verdauungssystem aus.

VIII Kraft

Die Kraft ist eine Frau. Sie hat nämlich nichts mit Muskeln zu tun, ebensowenig damit, daß man «hart im Nehmen» ist, wie so viele Väter und Unteroffiziere noch heute ihren Söhnen und Soldaten weismachen wollen.

Die wirkliche Kraft liegt vielmehr in einem entspannten Unterbauch, der uns so geschmeidig macht wie eine Katze. Kraft ist nie das Ergebnis einer Anspannung: Wenn wir bereits verspannt sind, etwa in einer Notsituation, sind wir auch unfähig zu weiterreichenden Leistungen und können auf die Situation nicht mehr richtig reagieren. Mit anderen Worten: Wenn wir verspannt sind, können wir uns nicht mehr mit der erforderlichen Geschmeidigkeit an die Geschehnisse um uns herum anpassen und sind in Wirklichkeit erstarrt und geschwächt.

Anders als beim Wagenlenker ist es also angezeigt, unseren Unterbauch zu entspannen und die Verbindung zu der Katze, dem Löwen in unserem Innern, aufrechtzuerhalten. Der Löwe unserer Instinkte weiß unsere Bewegungen zu lenken, weiß, wie wir flexibel auf die Bewegungen des Lebens reagieren können.

Darin nämlich liegt unsere wirkliche Kraft, dies ist mit der Karte auch gemeint: Dieser Archetyp stellt das Heilmittel gegen die negativen Aspekte der vorangegangenen Arkana.

Väter und Ritter irren, wenn sie uns beibringen, den Brustkorb aufzublähen. Denn indem wir den Bauch einziehen, können wir im Innern keine echte Kraft halten. Genau wie der Atem muß auch die Kraft ungehindert in den Körper eintreten und ihn wieder verlassen können. Wir können keine Kraft «besitzen», im Gegenteil, die Kraft «besitzt» uns: Stark zu sein, bedeutet, zu entspannen, der Kraft die Führung zu überlassen.

Wenn wir uns wirklich entspannen, kennt unsere Kraft keine Grenzen, was wir an dem Symbol der Unendlichkeit erkennen, welches das Haupt unserer weichen, und doch machtvollen Dame krönt.

Es ist die Angst vor Autoritäten, die uns beibringt, den Bauch einzuziehen und den Atem anzuhalten: vor der Autorität unseres Vaters und des Unteroffiziers, den wir später kennenlernen. Ein angespannter Unterbauch, ein verspanntes Zwerchfell zerreißt unsere Körperenergien in zwei Teile: Das ist eine Art Schizophrenie, eine «Schizophrenie des Zwerchfells». Der obere Teil unseres Körpers merkt nicht, was von der Hüfte abwärts geschieht, und umgekehrt. Dann fällt es schwer, ein harmonisches Gleichgewicht zwischen den verschiedenen Teilen unseres Seins herzustellen: zwischen Kopf, Herz und Bauch.

Ein starres und von Furcht gelähmtes Zwerchfell kann zu einer Verengung der Speiseröhre führen, die man als Hernie bezeichnet, und es wird ihm unmöglich gemacht, den richtigen Druck auf den Darm auszuüben, um diesen voll funktionsfähig zu halten.

Die Folge davon können spasmische Darmentzündungen sein, Menstruationsschmerzen und eine Neigung zu Blut- und Lymphstauungen im gesamten Unterbauch, was wiederum zu einer Verstopfung der Prostata, zu chronischen Entzündungen der weiblichen Geschlechtsorgane und zur Zellulitis führen kann.

Therapien

Massage, Unterbauch-Tiefenatmung, Tai Chi und alles, was uns dabei hilft, eine Verbindung zu unserem «Chi», unserer Energie, unserer Lebenskraft herzustellen: der Kraft, die der traditionellen chinesischen Medizin zufolge in unserem Bauch ständig ein- und ausgeht.

Was das richtige Atmen betrifft, so sind Kleinkinder unsere besten Lehrer, also jene, die noch nicht von schlechten Vorbildern verdorben waren. Wir brauchen uns nur anzuschauen, wie sie auf dem Rücken liegen und ihr Bauch sich ganz entspannt im Rhythmus der Atmung hebt und senkt.

Affirmationen:

- *In diesem Augenblick ist alles gut, ich habe keinen Grund zur Verspannung, ich entspanne mich hier und jetzt.*
- *Je mehr ich meinen Bauch entspanne, um so lebendiger und stärker fühle ich mich.*

Essenzen:

Bachblüten:

Aspen (Zitterpappel); Rock Water (Quellwasser); Star of Bethlehem (goldiger Milchstern).

Phytotherapie:

- Tilia (Linde) Lythrum salic. (Felberich); Chelidonium (Schöllkraut); Vaccinium vitis-idea (Preiselbeere) – spastische Kolitis.
- Salvia off. (Salbei); Achillea mill. (Scharfgarbe); Calendula off. (Ringelblume); Matricaria cham. (Kamille); – Menstruationsschmerzen.
- Artemisia vulg. (Beifuß) – Darmverstopfung.
- Ruscus aculeatus (Mäusedorn); Hieracium pilosella (kleines Habichtskraut); Spirea ulmaria (Mädesüß); Taraxacum off. (Löwenzahn); Vaccinium myrt. (Heidelbeere) – Zellulitis.

Edelsteine:

Goldtopas: entgiftet den Körper und stärkt die Leber, die Gallenblase und den Darm. Fördert den Stoffwechsel und das emotionale Gleichgewicht.

IX Der Eremit

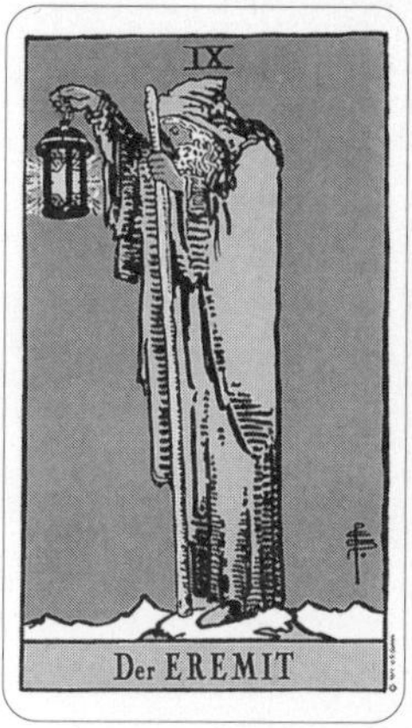

Der Eremit oder Einsiedler lebt isoliert auf einem Berggipfel: Er liebt die reine Luft dort oben. Er liebt sie so sehr, daß er allem entsagt hat, nur um sie nicht entbehren zu müssen, mit Ausnahme des Stabs seiner Energie und des Lichts seiner Seele. Alles andere ist ihm bloße Asche.

So, wie Diogenes mit seiner Laterne, sucht auch der Eremit den Menschen, und im Zuge seiner Suche nach dem Wesentlichen hat sich eine Willenskraft herauskristallisiert, die ihn zum Herrn seiner eigenen Stimmungen macht.

Wenn wir ihn nach dem Grund seines Glücks fragten, würde er uns dieselbe Antwort geben, wie es ein Zen-Mönch einst tat: «Wo soll denn das Problem liegen? Jeden Morgen, wenn ich aufwache, gibt es nur zwei Alternativen: glücklich oder unglücklich zu sein. Ich habe mich immer für die erste entschieden.»

Wer diese Einstellung hat, ist ein wahrer König. Doch liegt darin auch eine Gefahr: Der Eremit kann nämlich dieselbe Sünde begehen wie der Herrscher, nämlich die des Stolzes oder der Hoffart. So wie der Herrscher stolz auf seine Eroberungen sein kann, kann der Eremit dem Stolz auf seine Entsagung anheimfallen.

Dann kann er vom Licht seiner eigenen Laterne geblendet werden und sieht nicht mehr, was sie ihm eigentlich zeigen soll. Er konzentriert sich nur noch auf das Mittel, nämlich die Disziplin, und vergißt darüber das Ziel, das spirituelle Verstehen. Das wird dann zum größten Hindernis auf seiner Suche: Seine innere Kraft verbreitet kein Licht mehr, sondern wird schwerfällig und undurchsichtig. Im Körper führt dies zu einem Überschuß an Mineralstoffen und zur Schwerfälligkeit.

Alle Tugenden des Eremiten können sich als Nachteile für den Körper erweisen: 1) Seine innere Beharrlichkeit kann auf physischer Ebene zu exzessiver Bewegungslosigkeit führen; 2) seine Fähigkeit, «kühl» und distanziert zu bleiben, kann zu einem mangelnden Verständnis um die Beziehung zu seinem eigenen Körper führen, der daraufhin ebenfalls auskühlt und anfällig für Erkrankungen wie Rheuma wird; 3) die Entbehrungen seiner Disziplin können seine Muskeln verhärten und in faseriges Gewebe verwandeln; 4) seine exzessive Kristallisation kann zu Artheriosklerose führen, zur Frühvergreisung, zur senilen Demenz, zu einer mangelnden Durchblutung der Gliedmaßen und zur Verengung seines Gesichtsfelds, denn obwohl er eigentlich von seinem Gipfel aus bis an den fernen Horizont blicken könnte, läuft er doch Gefahr, statt dessen nur zu sehen, was seine kleine Laterne ihm zeigt.

Therapien

Wir können Gott auch dadurch preisen, indem wir Reis polieren, wie es die Zen-Mönche schon seit Jahrhunderten tun. Es ist nicht so wichtig, was wir im einzelnen tun, sondern wie wir es machen: Im Zen ist die Qualität von Bedeutung, die aus sehr schlichten Aktivitäten wie dem Anordnen von Blumen in einer Vase oder der Zubereitung des Tees wahre Künste entwickelt hat.

Der Eremit bleibt frisch und lebendig und findet schließlich zu sich selbst, indem er das Licht der Laterne seines Bewußtseins auf alle schlichten Aktivitäten des Alltags richtet.

Der Weg des Eremiten, ja der Weg des Zen-Mönchs besitzt eine eigene, heilende Qualität. Ihre extreme Bewußtheit, ihre völlige Liebe zu allem, was sie tun, von der Sitzhaltung im Zazen bis zum schlichten Gehen, sind für sich schon Therapie genug.

Sollte Ihnen all dies zu asketisch und «kühl» erscheinen, können Sie auch statt dessen einen Ostheopathen aufsuchen oder sich um die Wärme einer guten Massage bemühen.

Affirmationen:

- *Ich liebe meine Einsamkeit.*
- *Ich bin mir selbst genug.*
- *Ich bin hier, wach und wachsam.*

Essenzen:

Bachblüten:

Water Violet (Sumpfwasserfeder); Rock Water (Quellwasser).

Phytotherapie:

- Betula alba (Birke); Fraxinus exelsior (Esche); Spirea ulmaria (Mädesüß); Ribes nigrum (schwarze Johannisbeere); Salix alba (Weide) – Rheuma, Untertemperatur.
- Raphanus sat. (Rettich); Zingiber off. (Ingwer) – Durchblutungsmangel der äußeren Gliedmaßen.
- Salvia off. (Salbei); Rosmarinus off. (Rosmarin); – niedriger Blutdruck.
- Equisetum (Schachtelhalm); Vinca minor (Immergrün); Ginkgo biloba (Ginkgobaum) – Frühvergreisung, senile Demenz.

Edelsteine:

Rubin: wirkt sich positiv auf Blutkreislauf sowie auf Körper und Geist aus.

X Das Rad des Schicksals

Plötzlich sind wir mit einer Karte konfrontiert, in deren Mittelpunkt keine menschliche Gestalt steht. Wir sehen ein Rad, das magische und alchemistische Symbole trägt. Die lateinischen Buchstaben lassen sich auf dreierlei Weise lesen: TORA, ROTA, TARO. Denn es handelt sich dabei zugleich um das Rad des Lebens, das Rad des Schicksals oder des Tarot. Das Rad hat eine Nabe und eine ruhende Mitte sowie eine Peripherie, die sich ständig in Bewegung befindet. Der Eremit befand sich auf der Suche nach diesem ruhenden Mittelpunkt, denn wer erst einmal dort Platz gefunden hat, unterliegt nicht mehr der unaufhörlichen Bewegung des Rads, ist kein Spielball der sich ständig verändernden Lebensereignisse mehr.

Wenn wir erst einmal in unserer eigenen Mitte stehen, mögen zwar auf der Leinwand unseres Bewußtseins schöne oder unangenehme Filme *abspulen,* doch steht uns dann eine Rundumleinwand von 360° zur Verfügung, und so können wir uns die Filme aussuchen oder sogar den Projektor ganz abschalten. Ohne die Distanz der Meditation jedoch bleibt uns nichts anderes übrig, als das Auf und Ab des Rads über uns ergehen zu lassen. Wenn wir nicht erkennen, daß das Rad keineswegs nur einen einzigen, sondern eine Vielzahl von Filmen projizieren kann, laufen wir Gefahr, unser ganzes Leben lang an diesem einen festzukleben und ihn immer wieder in den verschiedensten Versionen ablaufen zu sehen.

Der Wiederholungszwang des Manikers, die zyklischen Muster des manisch-depressiven Syndroms sind eine Konsequenz des Verlangens, das Rad zum Stillstand zu bringen, indem man sich an einen Punkt seiner Peripherie klammert.

Dadurch verlieren wir aber das Gefühl für die Rhythmen und zyklischen Abläufe unseres Körpers, wodurch die Hirnanhangdrüse, die unser hormonelles Gleichgewicht steuert, nicht mehr richtig funktioniert. Das kann zu einer Beeinträchtigung des Herzens und des Atemsystems führen, der Kalium- und Natriumwerte unseres Stoffwechsels, des Schlafzyklus sowie der Fortpflanzungs- und Verdauungsfunktionen.

Therapien

1) Ein kindliches Spiel, aus dem eine Derwisch-Meditation entwickelt wurde, besteht darin, sich rasend schnell auf der Stelle zu drehen. Dabei müssen die Augen entspannt sein und keinen bestimmten Punkt fixieren. So lernt man, die Realität um sich herum kreisen zu lassen, ohne sie kontrollieren zu wollen, und die Dinge loszulassen, ohne sich an sie zu klammern.

Dabei bleiben wir immer noch im Mittelpunkt, und das Rad des Lebens dreht sich um uns herum. Doch nun können wir die Macht und die Schönheit seiner Drehbewegung genießen, und es ist, als würden wir fliegen: Wenn wir schließlich landen, wird das sanft und natürlich geschehen, vor allem dann, wenn wir an einem offenen, freien Ort in der Natur stehen.

Wenn wir nun den Bauch, unseren Nabel, an den Boden pressen, werden wir den zyklischen Rhythmus unserer Mutter Erde spüren: Dieses Gefühl wiederherzustellen, ist es, was wir am meisten brauchen.

2) Es gibt auch eine alte taoistische Technik, die uns beibringen soll, auf ausgewogene, unparteiische Weise zu sehen und dabei zentrierter zu werden.

Legen Sie zweifarbige Kreise auf den Boden, am besten einen roten und einen blauen, und achten Sie darauf, daß die beiden ebenso weit auseinanderliegen wie Ihre Augen.

Nun setzen Sie sich auf den Boden und blicken die bciden Kreise mit entspannten Augen an, so daß Sie entweder drei Kreise anstelle von einem oder überhaupt keinen sehen. Wenn Sie sich erst einmal an diese Art des Sehens gewöhnt haben, schauen Sie auf den imaginären Punkt in der Mitte oder in den leeren Raum. Dabei kann es hilfreich sein, eine Musik mit zyklischem Rhythmus abzuspielen, beispielsweise «Konia Dervish Symphony» von Algromer Khan.

Affirmationen:

- *Ich akzeptiere das Leben mit allen seinen Zyklen und Jahreszeiten.*
- *Je mehr ich akzeptiere, was das Leben mir beschert, um so entspannter werde ich.*
- *Ich habe das Recht, widersprüchlich zu sein.*

Essenzen:

Bachblüten:

Chestnut Bud (Rosskastanienknospe); White Chestnut (weisse Kastanie); Scleranthus (einjähriger Knäuel).

Phytotherapie:

- Salvia off. (Salbei) – harmonisiert die Hirnanhangdrüse.
- Thymus vulg. (Thymian); Mentha pulegium (Poleiminze) – reguliert das Atemsystem.
- Crataegus (Weißdorn); Tilia (Linde); Myrtus comm. (Myrte); Pinus mugo (Bergkiefernknospen) – harmonisiert den Herzrhythmus.
- Sambucus nigra (Holunder); Polypodium vulg. (Tüpfelfarn) – harmonisiert den Verdauungstrakt.

Edelsteine:

(Reiner) Bergkristall: verhilft uns zur inneren Mitte und zu einem Gespür für das Rhythmische in Körper und Seele.

XI Gerechtigkeit

Die Gerechtigkeit blickt uns geradeheraus ins Auge. Das tut sie sowohl mit ihrem männlichen, projektiven rechten Auge als auch mit ihrem weiblichen, empfangenden linken Auge, zugleich aber auch mit ihrem dritten Auge, das auf ihrer Krone zu sehen ist.

Wenn wir unsere Augen im Derwisch-Tanz oder mit einer beliebigen anderen Methode entspannt haben, etwa nach der von Bates, stellen wir fest, daß wir die Wirklichkeit auf sehr viel unparteiischere Weise betrachten können als normalerweise: Wir entdecken durch diesen Blick, daß wir ein Gravitationszentrum haben, ein Gleichgewicht, und wenn wir dies erfahren, sind die Gewichte in den Waagschalen der Gerechtigkeit ausgewogen.

Die Gesamtsumme dessen, was uns das Rad des Schicksals bringt, gleicht sich stets aus (muß stets ausgewogen sein), sonst könnte sich das Rad nicht drehen. Wäre es auf einer Seite stärker belastet als auf der anderen, würde dies seine Bewegung blockieren. Ganz ähnlich sind auch die Ereignisse in unserem Leben stets ausgewogen: Wir halten uns nur deshalb für vom Glück begünstigt oder vom Unglück gestraft, weil wir alles durch die Brille unserer Vorurteile betrachten und das Schwergewicht dabei stets nur auf das eine oder andere Ereignis legen.

Ein unparteiischer Blick jedoch findet den Mittelpunkt, das Gleichgewicht zwischen unterschiedlichen Ereignissen. Von diesem Betrachtungspunkt ausgehend, reagiert man auf ausgewogene Weise, ohne die ruhenden Waagschalen in den Händen der Gerechtigkeit zu erschüttern.

Erst dann hört das Rad des Karma auf, sich zu drehen, und unsere Taten werden makellos. Unser ganzer Mangel an Gleichgewicht, ebenso die damit verbundenen Erkrankungen, rührt von einem vorurteilsbeladenen Blick her sowie von den falschen Handlungen, die sich aus diesem ergeben. Es ist kein Zufall, daß unser hormonelles Gleichgewicht von eben jenem Hirnzentrum gesteuert wird, das direkt hinter unseren Augen liegt.

Die Gerechtigkeit symbolisiert unsere sämtlichen inneren Gleichgewichte, die ihrerseits mit dem ungestörten Funktionieren unserer inneren Zyklen in Zusammenhang stehen. So wird beispielsweise der Säurehaushalt des Bluts durch Atemapparat und Nieren reguliert, die unter der Herrschaft des Tierkreiszeichens Waage stehen.

Unser inneres Gleichgewicht hängt von der Ausgewogenheit ab, mit der wir das Außen betrachten: Alles, was wir sehen, wenn wir einen anderen anblicken, hat hier mehr mit uns selbst zu tun als mit ihm.

Wenn wir uns dieser Tatsache bewußt bleiben, zeigt er uns einen Teil unserer selbst, den wir sonst nicht direkt wahrnehmen können, weil wir dazu nun einmal der Hilfe eines Spiegels bedürfen. Erst dann werden die beiden Waagschalen, das Yin und das Yang, zu einem Gleichgewicht finden.

Therapien

«Spiegelmeditation»: Setzen Sie sich in einem ruhigen Zimmer ohne allzu starke Beleuchtung in bequemer Haltung vor einen Spiegel. Es genügt das Licht von ein, zwei Kerzen, die Sie neben sich aufgestellt haben. Betrachten Sie Ihr Gesicht im Spiegel. Atmen Sie tief durch, entspannen Sie sich und betrachten Sie sich weiterhin im Spiegel. Beobachten Sie losgelöst alle Ihre Gedanken, alle Urteile, die Ihnen durch den Kopf gehen, selbst jene, die versuchen, Sie vom Sehen abzuhalten. Schauen Sie immer weiter in Ihr Spiegelbild, es ist Ihr Gesicht, das Ihnen all diese Dinge mitteilt; alles hat nur mit Ihnen selbst zu tun. Blicken Sie immer weiter, bis es nichts mehr zu sagen und zu beurteilen gibt, bis Sie schließlich einen Augenblick des Schweigens erreicht haben, in dem Sie einfach nur objektiv Ihr Gesicht so betrachten, wie es ist.

Nun kehren Sie den ganzen Prozeß um: Entwickeln Sie das Gefühl, daß nicht Sie Ihr Spiegelbild betrachten, sondern umgekehrt, nämlich, daß Sie der Gegenstand seines Blicks sind. Vorher war Ihre Energie auf Ihre Gesichtsprojektion im Außen gerichtet, nun kehrt diese Energie zu Ihnen zurück. Der Energiekreis schließt sich, ist vollkommen geworden. Verharren Sie schweigend in diesem Kreis aus Energie und Bewußtsein. Dieser Energiekreis hilft Ihnen dabei, sich nicht so stark vom Außen abzutrennen, den anderen, Ihren Partner, sei er weiblich oder männlich, sei er Yin oder Yang, wie unheilbar von Ihnen getrennt zu betrachten, ohne Verbindung zu Ihnen. Geschieht dies nicht, führt Ihre Weltsicht zu einem Ungleichgewicht, wodurch Ihr Körper entweder über- oder untersäuert wird und Ihre Nieren in Mitleidenschaft gezogen werden.

Affirmationen:

- *Ich sehe … (hier Namen des Partners einsetzen) auf entspannte und unparteiische Weise.*
- *Ich sehe mich selbst mit entspannten und unparteiischen Augen.*
- *Ich bin meinem Partner für das dankbar, was er mir von mir selbst zeigt.*

Essenzen:

Bachblüten:

Scleranthus (einjähriger Knäuel); Mustard (Ackersenf).

Phytotherapie:

- Solidago virg. (Goldrute); Arctium lappa (Klette), Fraxinus exelsior (Esche) – Wiederherstellung des Nierengleichgewichts.
- Salvia off. (Salbei); Rosmarinus off. (Rosmarin); Berberis vulg. (Sauerdorn); Apium grav. (Sellerie) – Wiederherstellung des Gleichgewichts der endokrinen Drüsen.

Edelsteine:

Turmalinquarz: stellt das Gleichgewicht zwischen männlichen und weiblichen Polaritäten her und hilft die Extreme auszugleichen.

Aquamarin und blauer Topas: helfen uns dabei, die Dinge klar und unparteiisch zu sehen und ausgewogen zu handeln.

XII Der Gehängte

Der Gehängte hängt kopfunter von einem Baum in der Gestalt eines Kreuzes – derselben Form wie die Stütze, auf der die Waage der Gerechtigkeit ruht. In dieser Position ist er dazu gezwungen, die Zunge der Waage zu sein; er muß ein neues Gravitationszentrum erspüren und finden.

Wenn wir uns durch den unparteiischen Blick der Gerechtigkeit nicht zu unserem eigenen inneren Zentrum führen, müssen wir es eben in dieser unbequemen Lage tun. So merkwürdig sie auch aussehen mag, hat die Stellung des Gehängten doch einen Vorteil: Sie verändert unsere Sehweise, die Welt erscheint uns als auf dem Kopf stehend, so daß wir das Umgekehrte, die andere Seite der Dinge sehen, was es uns ermöglicht, die exzessive oder auch ungenügende Bedeutung, die wir bestimmten Dingen herkömmlich zusprechen, in ein Gleichgewicht zu überführen.

Es handelt sich hierbei um eine weitere Möglichkeit, zu einer ausgewogenen Sehweise zu gelangen und die Dinge unparteiischer zu betrachten: Das geschieht nicht nur deshalb, weil wir uns in dieser Position unserer inneren Mitte bewußter werden, sondern auch, weil unsere Energie sich auf diese Weise leichter im vorderen Hirnlappen zentriert.

Der Hatha Yoga stellt auf dasselbe Ziel ab wie Sirshana, einer seiner berühmtesten Asanas: «Den Yogis zufolge entwickelt sich durch die Konzentration auf diesen Bereich (vor allem auf den Punkt zwischen den Augenbrauen) spirituelle Erkenntnis, die schließlich zur Erleuchtung führt.» Und tatsächlich – wenn wir nur unsere Sehweise verändern und die Karte einmal auf den Kopf stellen, erweist der Gehängte sich als Erleuchteter.

So gut wie alle Erkrankungen zwingen uns dazu, eine andere Position einzunehmen, eine andere Sichtweise, ob wir nun plötzlich bettlägerig werden, anstatt aufrecht stehen zu können, oder ob wir ganz gekrümmt gehen und uns nicht mehr so bewegen können, wie wir es normalerweise tun.

Wir können diese unbequemen Veränderungen unserer Sichtweise nutzen, um dadurch Dinge zu erkennen, die wir normalerweise übersehen, so wie jemand mit einem steifen Hals gezwungen ist, etwas Unbekanntes anzublicken, das sich hinter seinem Rücken versteckt hält. Haben wir diese Dinge erst einmal erblickt und in unser Bewußtsein integriert, werden wir nicht mehr das Bedürfnis verspüren, weiterhin diese seltsame, manchmal auch schmerzhafte Stellung einzunehmen.

Therapien

Legen Sie sich aufs Bett und nehmen Sie die Position ein, wie die Karte sie Ihnen zeigt. Der Körper bildet jetzt ein Kreuz, Sie können sich nicht mehr bewegen, Sie sind *gezwungen,* still zu liegen.

Lernen Sie, sich in dieser Stellung zu entspannen und vor allem das Ausatmen zu betonen. Dann können Sie alle Muskel- und seelischen Spannungen wahrnehmen und ruhig in sie hineinatmen, sie mit Ihrem Atem massieren, eine nach der anderen, bis sie alle gewichen sind.

Es dauert nicht lange, bis Sie begreifen werden, daß die scheinbar «unbequeme» Haltung des Gehängten in Wirklichkeit sehr entspannend ist.

Affirmationen:
- *Ich entspanne mich in jeder Haltung, die ich gerade einnehme.*
- *Ich akzeptiere diese Situation in Dankbarkeit.*
- *Dein Wille geschehe.*

Essenzen:

Bachblüten:

Gentian (bitterer Enzian); Oak (Eiche); Impatiens (drüsentragendes Springkraut).

Kalifornische Blüten

Penstemon (Bartfaden); Sagebrush (Wermut).

Phytotherapie:
- Citrus aur. (Orangenblüten); Crataegus (Weißdorn); Matricaria cham. (Kamille); Salix alba (Weide); Tilia (Linde); Valeriana off. (Baldrian) – Verspannungen, Spasmen, Angstkrämpfe.
- Salix alba (Weide); Fraxinus exelsior (Esche); Harpagophytum (Teufelskralle); Spirea ulmaria (Mädesüß) – Rheuma, Arthritis, Arthrose, Ischias.

Edelsteine:

Sugilit: hilft, die Heilungs- und Reinigungsprozesse des Körpers zu verstehen, lindert Streß, hilft zum Verständnis des Zusammenhangs zwischen körperlichen Beschwerden und Gedanken sowie Gefühlen.

XIII Tod

Die dreizehnte Trumpfkarte heißt Tod. Der Tod wird hier gezeigt, wie Dürer ihn sich vorstellte: als Ritter. Durch den Helm seines Panzers erkennen wir ein weiteres gebräuchliches Element aus der Ikonographie des Todes, nämlich den Totenschädel.

Die leeren Augenhöhlen des Totenschädels beängstigen uns am meisten. Unsere Furcht vor dem Tod ist die Angst, das unaussprechliche Entsetzen vor der absoluten Leere, die wir hinter seinen Augenhöhlen und dem Panzer erblicken.

Diese Leere hält Bild und Gestalt des Todes aufrecht und füllte sie aus, aber zugleich auch jede andere Gestalt, jedes andere Bild: Das scheint die Botschaft dieses Arkanums zu sein. Die Essenz des Todes ist die reine Leere: Alle Lebensformen entstammen von hier und kehren hierher wieder zurück.

Wir sind es gewöhnt, die Dinge aus der Sicht der Fülle zu betrachten, nicht jener der Leere. Deshalb sehen wir im Tod auch eine Verletzung unserer Sehweise und stellen ihn uns als bewaffneten Krieger vor. Doch das wahre Geheimnis der unbezwingbaren Stärke des Todes liegt nicht in diesen Waffen; es besteht vielmehr aus der unsichtbaren Macht der Leere.

Der Tod findet statt, wenn alle Formen sich auflösen, um erneut wieder ausgeformt zu werden in einem ewigen Prozeß des Wandels und der Transformation.

Der Tod stellt eine Lücke im Leben dar, einen Augenblick der Leere: Wir verschwinden darin, und aus ihr erscheinen wir auch wieder aufs neue. Wir erfahren den Tod während unseres ganzen Lebens, nämlich in unserem Körper selbst, wo unentwegt Millionen von Zellen geboren werden und wieder absterben. Eine fortgesetzte Erneuerung unserer Zellen ist für das Leben und die Gesundheit unseres Körpers unabdingbar.

Es gibt Augenblicke des Todes, Augenblicke der Leere im Funktionieren unserer Organe, beispielsweise jene unmerkliche Lücke zwischen dem Aus- und dem Einatmen.

Unser Verstand ist so stark an das verhaftet, was die Existenz ihm unentwegt gibt, daß er sofort Angst bekommt, sobald er es zurückgeben muß. Er mag nicht glauben, daß er dieses Geschenk ein anderes Mal zurückbekommen wird: Unser Ego will nicht sterben. Doch den Tod abzulehnen, heißt, das Leben selbst abzulehnen, und so muß das Leben die Sichel des Todes in die Hand nehmen, um seinen Tanz fortzusetzen.

Wenn wir den Tod ablehnen, erscheint er uns als Körperabfall, als Exkremente, als die Summe aller Auflösungsprozesse, die im Körper stattfinden. Die Verweigerung unserer eigenen Exkremente kann so stark sein, daß wir sogar schon das Wissen um ihre bloße Existenz ablehnen und sie nicht von uns geben wollen, um sie ignorieren zu können. Dann haben wir mit Schwierigkeiten zu kämpfen, sie auszuscheiden – und Kot und Harn stagnieren im Körper.

Diese Stagnation und die damit einhergehenden Fäulnisprozesse können zu inneren Vergiftungen führen, beispielsweise zur Urämie (Harnvergiftung), zu Hautekzemen, Pickeln oder Dermatitis. Darüber hinaus schwächt diese Vergiftung unser körpereigenes Immunsystem und fördert den Ausbruch aller möglichen Infektionen und kann am Ende sogar durch schlimme Schädigung von Herz, Nieren, Leber und Gehirn den Tod selbst herbeiführen.

Therapien

Eine Zen-Geschichte erzählt von einem Mann, der einmal einem wilden Tiger begegnete. Er wollte davonlaufen, doch der Tiger verfolgte ihn. Der Mann kam an einen Abgrund und glitt aus: Fast wäre er in die Tiefe gestürzt, doch konnte er sich gerade noch rechtzeitig an einer Schlingpflanzenwurzel festhalten, so daß er nun im Freien baumelte.

Direkt über ihm stand ein Tiger, während unten am Boden der Schlucht ein weiterer Tiger auf ihn wartete. Sein Leben hing an einer einzigen dünnen Schlingpflanze, an der nun zwei Mäuse zu nagen begannen.

Da erblickte der Mann direkt neben sich eine schöne rote Erdbeere: Die Schlingpflanze mit einer Hand festhaltend, nahm er die Erdbeere mit der anderen. Sie war ja so köstlich!

«Der Tod ist unser bester Ratgeber», pflegte Castanedas Don Juan zu sagen. «Der Tod ist unser ewiger Begleiter; wenn du plötzlich deinen Standpunkt, deine Sichtweise wechselst, kannst du ihn erkennen, einen Schritt hinter deiner linken Schulter.»

Der Tod ist unser bester Ratgeber, weil er uns wie ein Schatten folgt und stets da ist, um uns daran zu gemahnen, im Augenblick zu leben und die Lieblichkeit jener köstlichen Erdbeere zu genießen, die wir das Leben nennen. Viele Menschen, die dem Tod nahe gekommen sind, berichten, daß diese Erfahrung ihr Leben radikal verändert hat: Sie haben gelernt, zu leben.

Nun wäre es doch wohl eine allzu radikale Therapie, unser Leben absichtlich zu gefährden, obwohl es ja in Wirklichkeit immer in Gefahr ist. Der Tod sollte daher wenigstens in homöopathischen Dosen eingenommen werden, denn solange unsere Furcht nur unbewußt bleibt, besteht die Wahrscheinlichkeit, daß sie somatisiert wird. Es folgt nun eine Meditation zu diesem Zweck.

Nehmen Sie in einem ruhigen und schwach beleuchteten Raum bequem Platz. Schließen Sie die Augen und beobachten Sie den Körper, so, als ob Sie Sie sich nicht darin bedinden würden, sondern als würden Sie ihn von außen betrachten. Stellen Sie sich vor, daß Sie ganz still in den Raum getreten seien und nun Ihren Körper dort sitzen sehen, wie er entspannt atmet. Beim Atmen strömt die Luft ein und aus, wie das Wasser es mit Muscheln tut: Sind es die Muscheln, die das Meerwasser atmen, oder ist es das Meer, das sie mit seiner rhythmischen Bewegung «atmet»?

Verharren Sie in Ruhe und Stille und setzen Sie die Beobachtung fort. Sie befinden sich in Ihrem Körper, sind aber auch gleichzeitig außerhalb von ihm, d.h. in der Luft, die Sie atmen.

Affirmationen:

- *Je mehr ich meine Vergangenheit loslasse, um so freier werde ich.*
- *Ich verzeihe mir meine Vergangenheit.*
- *Ich verzeihe mir, daß ich sterblich bin.*

Essenzen:

Bachblüten:

Crab Apple (Holzapfel); Mimulus (gefleckte Gauklerblume); Walnut (Walnuss).

Phytotherapie:

- Taraxacum off. (Löwenzahn); Rhamnus frangula (Faulbaum); Sambucus nigra (Holunder) – Verstopfung.
- Cynara scolymus (Artischocke); Pilosella; Fraximus exelsior (Esche) – Harnverhaltung, Urämie.
- Lythrum salic. (Felberich); Solidago virg. (Goldrute); Arbutus unedo (Erdbeerbaum); Arctostaphilos uva-ursi (Bärentraube) – Kolibakterien.
- Arctium lappa (Klette); Viola tricolor (Veilchen); Juglans regia (Walnußblüten) – Dermatitis.

Edelsteine:

Amethyst: reinigt das Blut, reinigt und regeneriert auch alle Ebenen des Bewußtseins und ist sehr gut für die Meditation.

XIV Mäßigkeit

Der Engel der Mäßigkeit besänftigt unsere Lebenssäfte, er gießt sie aus einem Behältnis ins andere, aus einer Faser unseres Zellstoffwechsels in die andere, aus einem Stadium des Atemrhythmus unserer Organe ins andere. Er kennt das Geheimnis unseres Lebens und das aller anderen Lebewesen.

Unsere Lebensenergie wird besänftigt und verbessert, während sie durch diesen Schweberaum zwischen Systole und Diastole des Herzens strömt, zwischen Kontraktion und Expansion unserer Organe und Zellen.

Daher ist der Engel der Mäßigkeit auch ein Bote der Transzendenz. Mit seinem Licht der Hellsichtigkeit gemahnt er uns daran, daß wir das Alte transzendieren und wiedergeboren werden können -- daß wir uns zu neuen Bewußtseinsstufen entwickeln können, wenn wir nur dem Rat des Todes lauschen und uns in seiner Leere zu entspannen lernen.

Maßlos zu sein, heißt, den Augenblick des Schwebens und des Gleichgewichts zwischen den Phasen unserer Lebensrhythmen zu verpassen. Es bedeutet, unsere Bewußtheit einzubüßen und uns entweder an die Phase der Expansion oder der Kontraktion zu klammern.

Die Zellatmung ist ein solch fundamentaler Lebensprozeß, daß ein Gleichgewichtsmangel zwischen seinen beiden Phasen sehr ernste Konsequenzen haben kann. Die Oxidationsphosphatisierung stellt einen außerordentlich wichtigen Prozeß innerhalb der Atmung dar, eine Art Verbrennung unter Wasser, nämlich in der Zellflüssigkeit.

Diese Verbrennung wird durch die Sauerstoffenergie ermöglicht, die unsere Lungen dem Himmel entnommen haben, jenem

Universum, mit dem jede Zelle unseres Körpers auf solch intime Weise verbunden ist.

Dank dieser Verbrennung verwandeln wir die Energie des Universums in unsere eigene. Der Engel der Mäßigkeit ist der Hüter dieses lebenswichtigen Prozesses. Mit seinem wachsamen Blick betrachtet er die unmerkliche Lücke zwischen den einzelnen Phasen unseres Lebensprozesses. Die Energie, die dafür sorgt, daß die Alchemie der Phosphatierung weiterhin stattfindet, wird durch den Funken verfügbar gemacht, der dieser Lücke entspringt.

Wenn wir maßlos sind, ist unsere Zellatmung beeinträchtigt, und wir können unter den folgenden Beschwerden leiden: stoffwechselbedingte Übersäuerung; Frühvergreisung; Muskel- und Sehnenverkalkung; Verhärtung und Degeneration aller Körperzellen einschließlich jener der Großhirnrinde (Alzheimer).

Therapien

Es hätte der Engel der Mäßigkeit sein können, der einst seine «Desiderata» in einem Manuskript niederschrieb, das im Jahre 1692 in der alten Pauluskirche von Baltimore gefunden wurde. Die darin enthaltenen Vorstellungen sind sehr alt, stellen aber eine wirksame Therapie gegen die Krankheit der Maßlosigkeit dar. Wir wollen einige davon wiedergeben:

«Bewege dich gelassen inmitten des Lärms und der Hast und bedenke, wieviel Frieden in der Stille liegen kann.»

«Vergleichst du dich mit anderen, kannst du eitel und verbittert werden, denn es wird stets Menschen geben, die über oder unter dir stehen.»

«Sei du selbst. Vor allem aber heuchle nicht Liebe. Und sei nicht zynisch, die Liebe betreffend, denn trotz aller Herzenshärte und Enttäuschung ist die Liebe doch so dauerhaft wie das Gras.»

«Nimm willig die Lehren der Jahre an und lasse in Dankbarkeit die Dinge deiner Jugend fahren.»

«Stärke deine Seele, um dich gegen plötzliches Unglück zu wehren. Doch peinige dich nicht selbst mit Träumereien.»

«Die meisten Ängste entspringen der Erschöpfung und der Einsamkeit. Verpflichte dich über jede heilsame Disziplin hinaus vor allem dir selbst.»

«Du bist der Sohn des Universums, nicht weniger als die Bäume und Sterne: Du hast ein unbestreitbares Recht darauf, hier zu sein. Ob dir dies deutlich sein mag oder nicht, es besteht kein Zweifel daran, daß sich das Universum so entfaltet, wie es vorgesehen ist.»

«Mache also deinen Frieden mit Gott, wie immer du ihn erleben magst und was immer für Sorgen und Ziele du verfolgen magst, wahre etwas Frieden im lärmenden Getöse des Lebens.»

«Trotz ihrer Falschheiten, der Härte der Arbeit und der zerschmetterten Träume, ist dies doch eine schöne Welt. Sei umsichtig.»

«Tue alles, was du kannst, um glücklich zu werden.»

Das «Beobachten der Atemlücke» ist eine alte Meditation, von der die Buddhisten sagen, daß sie eine der grundlegenden Techniken der spirituellen Erleuchtung darstellt. Sie besteht darin, sich der Lücke zwischen zwei Atemzügen bewußt zu werden, und kann als Therapie für die mit der Mäßigkeit in Zusammenhang stehenden Erkrankungen verwendet werden. Sie sei hier beschrieben:

Nehmen Sie eine bequeme Sitzhaltung ein und atmen Sie entspannt: Beobachten Sie, wie die Luft in Ihre Nasenlöcher eindringt und durch diese wieder austritt. Sie brauchen nichts anderes zu tun, als sich des schlichtesten und natürlichsten Körpervorgangs bewußt zu sein -- der Atmung. Das Bewußtsein muß sich zusammen mit der Atmung bewegen, tatsächlich müssen die beiden eins werden. Erst dann wird man sich des leeren Raums bewußt, jener Lücke zwischen den Atemzügen. Die Erleuchteten Meister, die uns diese Technik überliefert haben, vertraten die Auffassung, daß das Bewußtsein ausreichend Energie mit sich bringt, um uns ganz und gar zu verwandeln.

Affirmationen:

Nehmen Sie sich einen der Ratschläge aus den «Desiderata» vor, mit dem Sie sich am meisten verbunden fühlen, und ändern Sie ihn zu einer Affirmation ab. Beispiel:

- *Ich bewege mich gelasssen inmitten des Lärms und der Hast.*
- *Mir ist klar, wieviel Frieden im Schweigen liegt.*

Essenzen:

Bachblüten:

Clematis (weisse Waldrebe); Scleranthus (einjähriger Knäuel).

Kalifornische Blüten:

Iris (Schwertlilie).

Phytotherapie:

- Vitex agnus-castus (Keuschlamm); Crataegus (Weißdorn); Primula off. (Schlüsselblume); Passiflora inc. (Passionsblume); Vinca minor (Immergrün); Valeriana off. (Baldrian); Verbena off. (Eisenkraut) – neurovegetative Gleichgewichtsstörungen.
- Ampelopsis weitchii; Ribes nigrum (schwarze Johannisbeere); Pinus mugo (Bergkiefernknospen), Vitis vinifera (Weinknospen); Vaccinium vitis-idea (Preiselbeeren); Rubus fruticosus (Brombeeren); Betula alba (Birke); Equisetum (Schachtelhalm) – Frühvergreisung, Verlust von Gewebeelastizität, Arthrose, Arteriosklerose.

Edelsteine:

Heliodor: das «engelhafte Licht» dieses Steins kräftigt und heilt den Körper.

Gelber Kalzit: das freudige Licht dieses Steins beschert uns positive Gedanken.

Diamant: ist der Heiler schlechthin, er reinigt sowohl den grobstofflichen als auch den feinstofflichen Körper.

XV Der Teufel

«Die Angst klopft an die Tür, der Glaube öffnet sie, und es ist nie jemand da.» (Altes chinesisches Sprichwort)

Der herrische Blick des Teufels klopft an unsere Tür. Dieser Blick will uns dominieren und versklaven, er ist gänzlich bar aller Liebe, deshalb fürchten wir ihn auch so. Wir laufen davor weg, wir senken die Augen und machen die Tür nicht auf.

Das Geheimnis der Macht des Teufels, seine Fähigkeit, uns besessen zu machen, liegt in unserer Furcht begründet. Durch diese Furcht raubt er uns die Energie, die er zu seiner Existenz braucht, denn ohne unsere unbewußte Energie würde der Teufel verschwinden wie jedes andere Gespenst auch.

Wenn wir seinen Blick unparteiisch erwidern, wenn wir seinen Bauch betrachten und sein haariges Geschlecht, erkennen wir unsere eigenen Leidenschaften, sehen wir das, was uns ohne unsere Billigung anzieht, jenen Teil unserer selbst, den wir zu erkennen uns weigern, weil wir uns zu sehr mit dem Engel der Mäßigkeit identifizieren. Täten wir dies, würden wir die Entdeckung machen, daß der Teufel in Wirklichkeit doch nicht so häßlich ist.

Auch jener Teil unseres Seins, auf den nicht das Licht des Engels fällt, gehört zu uns: Es ist der instinktive, tierhafte Teil, der auf dem Altar der Zivilisation und der Moralregeln unterdrückt und geopfert wurde, zugleich aber auch der Teil, der uns dazu bewegt, zu atmen, zu lieben, zu verdauen, auszuscheiden und zu leben.

Wenn wir uns so weit mit dem Engel identifizieren, daß wir diesen tiefliegenden Teil unserer Psyche völlig verleugnen, wird er sich auf teuflische Weise zu äußern wissen. Dann leben wir in einer schizophrenen Situation: Unser unterdrückter Teil verliert jeden

Kontakt zu uns, so daß er glaubt, getrennt von uns zu sein, und wird sich dementsprechend auch verhalten -- dann wird er nicht mehr im Einklang mit unserem Wesen sein. Dr. Jekyll und Mr. Hyde sind ein gutes Beispiel für diese Art von Schizophrenie, die sich sowohl im seelischen als auch im somatischen Bereich äußern kann: Sie kann sowohl unsere Psyche als auch unseren Leib berühren, unseren Zellverstand.

Das führt dann zu einer Wucherung mancher Zellen und zu Tumoren: Einige Zellen unserer Organe oder unseres Gewebes vergessen, daß sie Teil unseres gesamten Körpers sind, und so verhalten sie sich anarchisch und egozentrisch. Die Liebe vereint, sie macht uns frei. Besessenheit und Haß entzweien, sie lassen uns vergessen, daß wir Teil des Seins sind. Wenn unser Ego uns das Gefühl vermittelt, abgespalten, abgetrennt zu sein, reden wir uns ein, daß wir damit nur unsere Freiheit behaupteten. Doch das genaue Gegenteil ist wahr: Wir sind erst dann wirklich frei, wenn wir uns in Harmonie mit dem Ganzen bewegen – nur darin ist wirkliche Freiheit und Gesundheit zu finden.

Therapien

Die beste Therapie für den Teufel ist die Liebe. Liebe bedeutet im Prinzip, alles mit dem anderen zu teilen – also auch jenen Part von uns, den wir allein gar nicht wahrnehmen könnten. Die Liebe läßt uns wachsen, weil wir unseren Liebespartner wie eine Leinwand nutzen können, um auf ihn all jene Dinge zu projizieren, denen ins Auge zu blicken uns der Mut fehlt.

Zu Anfang ist das Objekt unserer Liebe nur ein einziger Liebespartner. Dann öffnen wir unser Herz immer mehr und lernen, einen immer größeren Teil unseres Wesens mit anderen zu teilen. Wenn wir dann viele Spiegel zur Verfügung haben, können wir immer mehr über unseren Schatten in Erfahrung bringen, können wir sogar unserem Feind dankbar dafür sein, daß er uns einen Teil von uns selbst gezeigt hat, dessen Existenz wir uns nicht einmal vorstellen könnten.

Sollten wir nicht dazu in der Lage sein, können wir aus allen Psychotherapie-Gruppen Nutzen ziehen, bei denen es um das Herstellen von Beziehungen geht, um das Miteinander- Teilen unserer Freuden und Schmerzen mit anderen, darum, unsere Masken fallen zu lassen und uns vor den anderen nackt und verletzlich zu zeigen.

Affirmationen:
- *So, wie ich «nein» empfinden und sagen kann, kann ich auch «ja» empfinden und sagen.*
- *Je mehr ich es bejahen kann, um so mehr fühle ich mich mit dem Leben in Harmonie, bin ich frei und lebendig.*

Essenzen:

Bachblüten:
Holly (Stechpalme); Vine (Weinrebe).

Kalifornische Blüten:
Scarlet Monkeyflower (Gauklerblume).

Phytotherapie:
Galium aparine (Klebkraut); Viola odorata (Märzveilchen); Polypodium vulg. (Tüpfelfarn); Pinea excelsa (Prachttanne); Viscum album (Mistel); Allium sat. (Knoblauch); Juglans regia (Walnußblüten), Laurus nobilis (Lorbeer); Boxus sempervirens (Gemeiner Buchsbaum) – Geschwulstbildung.

Edelsteine:
Rauchquarz: bringt Licht in die Dunkelheit.
Quarzklumpen: stellt harmonische Kooperationsbereitschaft wieder her.

XVI Der Turm

In einer Kleinstadt in der Toskana, San Gimignano, gibt es zahlreiche Türme von unterschiedlicher Höhe und Stattlichkeit. Früher stellten diese Türme Statussymbole der führenden Leute der Stadt dar. Wenn einer der Ältesten von einem anderen im Zuge der damals häufigen Bürgerkriege besiegt wurde, mußte er einen Teil seines Turms abschlagen: Auf diese Weise tat der Sieger seinen Sieg bzw. seine Überlegenheit kund.

Der Turm ist ein Symbol der Überlegenheit aber auch der Angst. Wir fürchten uns so sehr vor anderen, daß wir uns in einem Turm einsperren – in einem so engen Raum, daß er schon aussieht wie ein Gefängnis, nämlich das Gefängnis unserer Angst.

Unser Stolz und unsere Hochmütigkeit sind nichts anderes als unterdrückte Furcht. Wir streben danach, etwas Größeres, Höheres zu sein als alle anderen, wir bauen Türme und mauern uns damit zugleich in einen steinernen Sarg ein, der uns kalt und gefühllos werden läßt und jede lebendige Beziehung zur Welt unmöglich macht; der uns ohne jede Liebe umgibt und unsere Verachtung gegen andere nährt.

Wir können uns aus dieser Situation nur dadurch befreien, daß unser Haus abbrennt, wie von einem Blitz getroffen, so daß sein Hochmut und seine wahrnehmbare Macht vernichtet werden. Erst wenn der Turm zertrümmert ist, finden wir wieder zu unserem Lebensraum zurück, können wir wieder frische Luft atmen. Wie wir noch beim Stern, der nächsten Trumphkarte, sehen werden, wird dann auch die qualvolle Angst verschwinden, die wir im Innern des Turms empfinden; dann werden wir uns der gewaltigen Freiheit bewußt, des Lichts und des Friedens, die wir in uns tragen.

Ein stolzer Mensch trägt den Kopf unnatürlich in die Höhe gereckt, um seine Überlegenheit zu zeigen, und dazu muß er die Muskeln seines Halses anspannen. Eine mögliche Folge davon können Kopfschmerzen sein, aber durch die ständige Verspannung kann auch auf längere Sicht die Halswirbelsäule in Mitleidenschaft gezogen werden.

Unser herrisch-gebieterisches Verhalten, unsere Furcht vor der Ohnmacht, drückt sich höchstwahrscheinlich durch die Maske der Verachtung aus, was wiederum die gute Durchblutung unseres Gesichts beeinträchtigen kann, wodurch unsere Zähne geschädigt werden und sogar ausfallen können. Wie die Türme von San Gimignano sind auch unsere Zähne ein Symbol unserer Aggression und Macht.

Wenn wir unfruchtbar geworden sind, gefühllos und erkaltet für die uns umgebende Liebe, werden uns Fieber und das Feuer von Entzündungen von innen heraus wärmen. Die kalte Mauer der Gifte, die wir zu unserem Schutz um uns herum aufgebaut haben, nämlich durch einen unzulänglichen Energieaustausch mit der Außenwelt, wird dann möglicherweise aufweichen und schartig werden. Die Gifte entweichen dann in Form von Pickeln und Geschwüren oder durch Afterfissuren und Hämorrhoiden, eine Folge der angstbedingten Beckenverspannungen.

Therapien

Die Therapie des Turms ist die Demut. Darunter verstehen wir jedoch nicht etwa die passive Unterwerfung unter den Willen anderer sondern die Flexibilität, die Bereitschaft, nicht nur die Dimension der Höhe zu erfahren, wie es der stolze Mensch tut, sondern auch die Dimension der Tiefe.

Dieser Perspektivenwandel entspannt uns: Wenn die Höhe gar nicht so sehr verschieden von der Tiefe ist und nicht besser als diese, wozu dann solche Anstrengungen unternehmen, um sie zu erklimmen?

Aikido ist eine Kampfkunstdisziplin, mit deren Hilfe wir diese Form von Demut lernen können: «Turm-Menschen» mögen normalerweise nämlich Kampfkünste, begreifen allerdings nicht, daß deren tiefstes Geheimnis tatsächlich die Demut ist.

Beim Aikido macht der Lehrer von Anfang an deutlich, daß der Feind, den es zu bekämpfen gilt, der eigene Stolz ist, unser Hochmut, die Erstarrung von Körper und Geist. Wir lernen, nicht brutal mit unserem Gegner zusammenzustoßen sondern nachgiebig zu sein, seine Kraft mit der Hilfe von Techniken aufzusaugen, die alle auf Harmonie beruhen, auf der Kreisbewegung.

So wird die Kampfkunst Aikido zu einem Tanz, wenn wir unserem Gegner genau dieselbe Menge Kraft zurückgeben, die er uns beschert hat, und er wiederum dasselbe mit uns tut. Um uns so zu bewegen, müssen wir lernen, uns zu beugen, zu einem Kreis zu werden, demütig zu sein.

Es gibt noch eine andere Möglichkeit, die wunderschöne Kunst der Empathie zu erlernen: durch die Kunst der Massage, die wir mit Hilfe eines Buchs oder einer Massageausbildungsgruppe lernen können. Ein «Turm-Mensch» kann viel von der Selbst- und Partnermassage lernen; denn dazu bedarf es des Einfühlungsvermögens, der Demut, der Empathie, um mit den Händen die Verspannungen im eigenen Körper oder dem des anderen zu erspüren und zu lindern.

Affirmationen:

- *Ich brauche die Welt, und die Welt braucht mich.*
- *Ich bin in den anderen, und die anderen sind in mir.*

Essenzen:

Bachblüten:

Beech (Buche); Water Violet (Sumpfwasserfeder).

Phytotherapie:

- Harpagophytum proc. (Teufelskralle) – Gehirnarthrose, Kopfschmerz.
- Matricaria cham. (Kamille); Polygonum bistorta (Wiesenknöterich); Calendula off. (Ringelblume); Phytolacca (Kermesbeere); Abies pect. (Weißtanne), Equisetum (Schach-

telhalm); Thymus (Thymian) – Gengivitis, Stomatitis, Eiterfluß, Karies.
- Sambucus nigra (Holunder); Spirea ulmaria (Mädesüß); Salix alba (Weide); Ribes nigrum (schwarze Johannisbeere); Echinacea (Sonnenhut) – Fieber, Entzündungen.
- Hamamelis virg. (Zaubernuss); Aesculus hippocastanum (Roßkastanie); Cupressus semp. (Zypresse); Viola tricolor (Veilchen); Arctium lappa (Klette); Fumaria off. (Erdrauch) – Furunkel, Abszesse, Dermatitis, Hämorrhoiden.

Edelsteine:

Bergkristall: reinigt Körper und Geist, lindert Entzündungen.
Türkis: regeneriert das Gewebe, unterstützt Atmung und Blutkreislauf und fördert Kommunikation und Freundschaft.

XVII Der Stern

Unsere liebe Stern-Frau braucht nicht die Schutzmauer eines Turms, denn sie hat das Geheimnis der Stärke der Demut gelernt wie die Zen-Mönche, die darum wußten, den gewalttätigen Menschen unterwegs mit nackten Händen zu begegnen, nur mit den Kreisbewegungen des Aikido bewaffnet.

Die Sternfrau ist splitternackt, ein Symbol des Gebens, der Barmherzigkeit; sie kniet unter einem schönen, sternübersäten Himmel am grünen Ufer eines Sees, wo sie das Wasser ausgießt, anstatt es zu schöpfen.

Barmherzigkeit und Wohltätigkeit sind Wörter, die wir nicht besonders mögen, weil wir damit gewöhnlich die Überheblichkeit verbinden, als würden wir über dem Bettler stehen, dem wir unsere Almosen geben. Doch wahre Barmherzigkeit ist das nicht, ihretwegen brauchen wir uns nicht zu schämen: Der Stern zeigt uns, daß Mildtätigkeit einfach nur Geben heißt, unser Wasser auszugießen, unseren Lebenssaft, nämlich in das riesige Gefäß des Lebens, das uns umgibt wie ein See. Wir lernen die Lektion des Sterns durch das Knien, durch das Hinabblicken: Auf diese Weise erkennen wir schließlich, daß uns dort ein See zur Verfügung steht, direkt zu unseren Füßen, und können mit ihm verschmelzen.

Die «Turm-Menschen», die unter Arthrose litten und in der dicken, kalten Schicht ihrer eigenen Gifte gefangen waren, können aus ihrem Gefängnis ausbrechen, indem sie demütig werden und nach dem warmen Wasser eines Sees Ausschau halten, um den Körper zu entspannen und die Gifte fortzuspülen.

Die Mildtätigkeit ist die Therapie des Sterns: Um jemanden zu heilen, müssen wir erst einmal dazu in der Lage sein, uns zu ihm herabzubeugen und ihm zuzuhören und als Boten zwischen dem Kranken und der gewaltigen Energie des Sees zu fungieren, mit dem eins zu werden er vergessen hat -- wir müssen geben können.

Doch wie auch bei allen anderen Trumpfkarten sollte man auch hier nicht vergessen, daß dieselbe Energie, die uns heilen kann, auch dazu in der Lage ist, uns krank zu machen, wenn wir nicht zentriert und bewußt sind: Diesselbe Neigung, sich zu geben, wird pathologisch, wenn sie auf der Unmöglichkeit beruht, «für sich zu behalten», also Erfahrungen, Daten und Gefühle zu assimilieren.

Das geschieht beispielsweise: 1) beim Durchfallkranken, der mit seinen Gefühlen nicht zurecht kommt und sie unter emotionalen Streß «ausscheidet», um sie loszuwerden; 2) bei Menschen, die ihre Lebensenergie nicht zügeln und speichern können, nämlich im Blut, und daher unter Blutungen leiden (Nasenbluten, ubermäßige Regelblutungen und andere Formen pathologischen Blutverlusts); 3) bei den pathologisch «altruistischen» Menschen, die ihr Bedürfnis zu helfen übertreiben und sich den Extremen des Masochismus und der Selbstverleugnung ausliefern.

Therapien

Die Stern-Meditation: Visualisieren Sie Luzifer, den Morgenstern, lassen Sie sich von seinem Licht durchströmen, lassen Sie sich davon erfüllen, bis Sie selbst wie ein Lichtsee geworden sind, in dem der Stern sich spiegelt. Knien Sie sich hin, die Handflächen in die Höhe gereckt, um das Sternenlicht durch Kopf und Arme in sich einströmen zu lassen.

Wenn Sie das Gefühl haben, daß Sie das erfüllende Licht überströmt, legen Sie Handflächen und Stirn auf den Boden und gießen Sie dieses Licht in den riesigen Lichtsee der Welt, die Sie umgibt.

Tun Sie das insgesamt sieben Mal. Dann legen Sie sich hin, entspannen sich und treiben auf diesem Lichtmeer: Lassen Sie sich Zeit dabei und ruhen Sie sich eine Weile aus.

Affirmationen:

- *Ich öffne mich dankbar der Fülle des Lebens.*
- *Ich liebe es zu geben, ohne etwas im Austausch zu erhalten.*
- *Ich kann mich unbeschadet preisgeben und loslassen.*
- *Je mehr ich gebe, um so mehr empfange ich.*

Essenzen:

Bachblüten:

Chicory (Wegwarte); Heather (schottisches Heidekraut); Centaury (Tausendgüldenkraut).

Phytotherapie:

- Agrimonia eupat. (Odermennig); Borago off. (Borretsch); Matricaria cham. (Kamille); Melissa off. (Melisse); Tilia (Linde); Betula alba (Birke); Passiflora inc. (Passionsblume); Solidago virg. (Goldrute) – diese Pflanzen entwässern und entspannen.
- Achillea mill. (Schafgarbe); Capsella bursapastoris (Hirtentäschel) – Blutungen, Piastrinopenia.
- Polygonum bistorta (Wiesenknöterich); Vaccinium myrt. (Heidelbeere) – Diarrhöe.

Edelsteine:

Saphir: bringt uns Licht und Vitalität, stärkt die Willenskraft und erweitert das Bewußtsein.

XVIII Der Mond

Nachdem Sie die Stern-Meditation durchgeführt haben und entspannt auf einem Lichtsee treiben, beginnen Sie vielleicht langsam einzuschlafen, dann haben Sie die Welt des Mondes betreten: Eine seiner Aufgaben besteht darin, uns die tiefen Gewässer unseres Unbewußten erforschen zu lassen, und uns dabei zu helfen, die Ungeheuer zu erkennen, die Seeschlangen, die sich dort verbergen, sowie all die seltsamen Wesen, die die Dunkelheit ihrer Untiefen durchstreifen.

Wenn wir jedoch Mut fassen und unsere Ängste und Vorurteile fallenlassen und uns an die Dunkelheit dieser Tiefen gewöhnt haben, werden wir erkennen, daß wir selbst hier noch ein wenig Licht sehen können. Die Sonne durchdringt das ganze Universum mit ihren Strahlen, die manchmal so blaß sind wie die des Mondes, und ihr Licht reicht überall hin. Mit Hilfe des Mondes können wir Licht auf die tiefsten Geheimnisse unseres Unbewußten werfen, und wir führen unser Bewußtsein in Bereiche hinein, in die es noch nie vorgestoßen ist. Dann wird alles, was wir verweigert und unterdrückt haben, wieder an die Oberfläche zurückkehren: Unsere unerfüllten Wünsche und unser Zorn werden aussehen wie wilde Hydren, und wir werden uns ihnen endlich stellen müssen.

Einige dieser Hydren haben wir zusammen mit unseren Tränen heruntergeschluckt, und so haben sie die Nahrung, die wir aufnahmen, bitter werden lassen. Nun speien sie ihr Feuer im Innern unseres Magens, wo sie uns Gastritis bescheren und, wenn sie wirklich wütend sind, uns unter Magengeschwüren leiden lassen.

Einige weitere Ungeheuer sind vielleicht auf der Ebene unseres Geschlechtszentrums blockiert worden, weil unsere Begierden eben dort schon früh im Leben unterdrückt wurden. Von hier aus senden sie kalte, giftige Energie in die Keimdrüsen, die wie der Magen astrologisch vom Mond «regiert» werden. Die dort festsitzende Energie führt zu Beckenverstopfungen, die es wiederum erschweren, beim Geschlechtsverkehr zum Orgasmus zu gelangen, was beim Mann zur Prostatitis und bei der Frau zur Adnexitis sowie zu vielen anderen Sexualproblemen führen kann.

Therapien

1) Schreiben Sie Ihre Träume auf und spielen Sie oft mit dem Tarot.

Legen Sie ein Schreibheft unter Ihr Kopfkissen und halten Sie immer einen Stift auf dem Nachtschrank bereit, um Ihre Träume sofort niederschreiben zu können, sobald sie erwachen. Damit ermutigen Sie Ihr Inneres Kind, zu Ihnen zu sprechen. Wenn Sie dieses Ritual sorgfältig und beharrlich durchführen, gewinnen Sie sein Vertrauen. Dann wird Ihr Inneres Kind Sie an der Hand nehmen und Sie dazu bringen, Ihre Träume und geheimen Phantasien zu erforschen, wie es Ihnen auch von seinen eigenen Ängsten und Bedürfnissen erzählen wird. Spielen Sie oft mit dem Tarot, um seine Sprache zu lernen, denn die Verspieltheit ist der beste Weg, um mit diesem Kind zu kommunizieren.

2) Treten und knuffen Sie mit aller Kraft, wie es Kinder tun, wenn sie mal wütend sind: Dabei wird Ihnen ein Kopfkissen gute Dienste leisten. Stellen Sie sich vor, daß dieses Kopfkissen jemand ist, der Sie verletzt oder beleidigt hat, und prügeln Sie darauf ein, brüllen Sie es an, drücken Sie Ihre Gefühle ohne jede Scham aus. Brüllen Sie Ihren Zorn und Ihren Schmerz hervor, wie Hunde den Mond anheulen: Der Himmel ist groß und großzügig genug, um all das aufzunehmen, ohne traurig oder beleidigt zu werden.

Affirmationen:

- *Ich kann unbeschadet meinen alten Bezugsrahmen beiseite legen.*
- *Ich kann unbeschadet meine Traumwelt erforschen.*

Essenzen:

Bachblüten:

Cherry Plum (Kirschpflaume); Agrimony (Odermennig).

Kalifornische Blüten:

Fuchsia (gekreuzte Fuchsie); Scarlet Monkeyflower (Gauklerblume).

Phytotherapie:

- Ficus carica (Feigenknospen); Tilia (Linde); Calendula off. (Ringelblume); Matricaria cham. (Kamille) – Gastritis, Darmgeschwüre.
- Artemisia vulg. (Beifuß) – Beckenverstopfung.
- Sequoia gig. (Riesen-Mammutbaum); Epilobium angustifolium – Adnexitis, Prostatitis.
- Trigonella foenum graecum (Bockshornklee), Salvia off. (Salbei); Satureja (Kölle) – nachlassende Libido.

Edelsteine:

Mondstein und Smaragd: Helfen dem Magen, die Bauchspeicheldrüse und die Geschlechtsorgane (insbesondere die weiblichen) zu heilen, sowie bei der Geburt.

XIX Die Sonne

«Wenn du in einem dunklen Zimmer bist, brauchst du eine Lampe, um es zu erhellen, aber wenn die Sonne aufgeht, brauchst du sie nicht mehr; dann kanst du die Gegenstände auch ohne sie erkennen. Um die Sonne zu sehen, brauchst du keine Lampe, denn sie leuchtet von sich heraus. Dasselbe gilt für den Geist. Du brauchst das Licht des Geistes, um die Gegenstände zu erkennen, aber um das Herz zu sehen, genügt es, daß der Geist es anblickt. Dann verliert sich der Geist, und das Herz beginnt zu leuchten.» (Ramana Maharshi)

Das Kind, zu dem wir in unserer lunaren Welt Kontakt aufgenommen haben, tritt nun ins Licht unseres Bewußtseins. Es ist glücklich wie ein Kind, das uns gerade einen Streich gespielt hat, und es reitet auf einem weißen Pferd, die Vitalität seines nackten Körpers genießend.

Das Kind ist glücklich, während die Sonne uns geradewegs ins Auge blickt. Ihr Blick macht uns unruhig.

Der Blick der Sonne wirkt peinlich auf uns, weil sie von uns verlangt, daß wir das Leben genauso betrachten wie sie selbst: klar, unparteiisch, ohne Angst vor dem Tod. Die Sonne empfiehlt uns, daß wir dasselbe tun sollen wie sie: Sie will, daß wir uns selbst in den Mittelpunkt all unseres Handelns und Fühlens stellen, daß wir zum Mittelpunkt unseres eigenen Sonnensystems werden. Von diesem Beobachtungspunkt aus können wir beispielsweise mitansehen, wie der Planet Venus uns berührt: also wie wir lieben, wie wir Beziehungen eingehen, wie wir unsere Gefühle ausdrücken. Wenn wir lernen, die Venus in unserem Innern so zu betrachten, können wir auch dasselbe mit unserem Mars (Aggression) und unserem Jupiter (unseren religiösen Gefühlen) tun.

Fehlt es uns dagegen an einer zentrierten Schau unserer Lebensbewegungen, sind wir in viele getrennte Fragmente geteilt, von denen jedes sich anarchisch vor sich hin bewegt. Dann wird ein Teil unserer Persönlichkeit beschließen, etwas zu tun, das wir morgen bereits wieder vergessen werden. Dann gibt es kein klares Ziel in unserem Leben. Das Zentrum unseres Bewußtseins wird von der Peripherie unseres Seins beherrscht, von den vielen Persönlichkeiten, mit denen wir uns von Zeit zu Zeit identifizieren mögen. Das wäre so, als ob die Sonne vom Gravitationsfeld der Venus oder des Mars eingefangen und nun damit beginnen würde, diese zu umkreisen. Dadurch würde das ganze Sonnensystem in Stücke gerissen werden, und eben dies geschieht auch mit uns, wenn wir unser Zentrum verlieren.

Im Körper stellt das Herz das Zentrum der Ausstrahlung von Wärme und Energie dar. Spirituelle Forscher haben im Herzen und nicht im Verstand den Mittelpunkt unseres Selbst erkannt, unseres spirituellen Bewußtseins. Ist die Beziehung zu unserem Herzen unzufriedenstellend, gefährdet dies die Gesundheit unseres Körpers wie unseres Geistes, was wiederum unsere Immunabwehr schwächt. Dann wird das Chaos, aus dem wir gekommen sind, uns mit all seinen Krankheiten angreifen können, um uns erneut zu verschlingen.

Therapien

Shatati-Shamawi ist der etwas seltsame Name einer sehr guten Zentrierungstechnik. Diese Technik funktioniert folgerndermaßen: Einer der Teilnehmer an der Meditation bekommt den Namen «Shatati», der andere wird «Shamawi» genannt. Die beiden Partner kommunizieren miteinander, indem sie ihren eigenen Namen oder den des anderen einmal oder mehrfach sagen, und zwar nach festgelegten Mustern, die streng befolgt und auswendig gelernt werden müssen.

So spricht Herr Shatati beispielsweise den Herrn Shamawi an, indem er sagt: «Shatati», worauf Herr Shamawi antwortet: «Shamawi.» Nun fährt der erste fort: «Shatati, Shatati», und der zweite erwidert: «Shamawi, Shamawi.» Die Sequenz könnte nun mit «Shatati, Shatati, Shamawi, Shatati» fortgesetzt werden, worauf der andere Partner seinerseits das Wortmuster ähnlich verändert: «Shamawi, Shamawi, Shatati, Shamawi.»

Sie können so viele Sequenzen verändern und erschaffen, wie sie möchten. Sie können diese Meditation auch allein durchführen, doch am Anfang ist es besser, sie mit einem Partner zu versuchen. Wir empfehlen, sie zunächst zu Hause durchzuführen, um sie dann am chaotischsten Ort zu wiederholen, an den sie sich begeben können, beispielsweise in einem Bahnhof, auf einem Marktplatz oder in einem Verkehrsstau. Während Sie sich von zu Hause zu dem lärmenden Ort begeben, den Sie dazu ausgesucht haben, wiederholen Sie die Sequenzen laut genug, daß ihr Partner sie hören kann, und setzen sie es am Ziel mindestens 20 Minuten lang fort.

Dank dieses kleinen Kniffs wird Ihr Geist nicht mehr abgelenkt; es wird seinerseits Ihren Blick nicht ablenken können, der dadurch zentriert, unparteiisch und aufmerksam wird wie der Blick der Sonne. Auch die Sonne ist großzügig und unparteiisch: Sie beobachtet, erwärmt und erhellt die ganze Welt, ohne irgend etwas oder irgend jemanden zu bevorzugen. Das kleinste wie das größte Wesen ist ihrer Aufmerksamkeit ebenso würdig.

Affirmationen:

- *Ich bin.*
- *Ich habe das Recht, zu existieren, wie ich bin.*
- *Ich kann meine Bedürfnisse klar erkennen und erfüllen.*
- *Ich liebe das Leben, ich liebe die Liebe, ich liebe das Lachen.*

Essenzen:

Bachblüten:

Centaury (Tausendgüldenkraut); Cerato (Bleiwurz); Gorse (Stechginster); Larch (Lerche).

Kalifornische Blüten:

Sunflower (Sonnenblume), Borage (Borretsch).

Phytotherapie:

- Hypericum perf. (Johanniskraut); Arnica montana (Arnika); Rosmarinus off. (Rosmarin); Thymus (Thymian), Coriandrum sat. (Koriander) – Depression.
- Crataegus (Weißdorn); Rosmarinus off. (Rosmarin); Salvia off. (Salbei) – diese Pflanzen wirken leicht anregend auf Herz und Blutkreislauf.
- Angelica arch. (Engelwurz); Echinacea (Sonnenhut) – diese Pflanzen stärken die Immunabwehr.

Edelsteine:

Sonnenstein und Gold: stellen eine Verbindung zu unseren positiven, solaren Energien her. Sie fördern den Blutkreislauf, stärken das Nervensystem und gestatten eine deutlichere Sicht des eigenen Selbst.

XX Das Gericht

Der Engel des Jüngsten Gerichts (wie die Karte auch heißt) ruft. Wir wissen inzwischen, daß es unser Schutzengel ist, der die ganze Zeit auf unserer Seite stand, auch wenn wir uns seiner nicht bewußt waren: In der sechsten Trumphkarte hat er dafür gesorgt, daß wir uns verlieben; als Engel der Mäßigkeit hat er uns zu höheren Bewußtseinsstufen verholfen – nun ist er wieder da, um uns zu befreien.

Wir hätten auch tot in unseren Gräbern verweilen können, doch er verhilft uns zu einer neuen Geburt, ruft uns zu neuem Leben. Und um diesen Ruf zu empfangen, um seine Fanfare wahrzunehmen, müssen wir nackt und unschuldig sein wie neugeborene Kinder und dankbar wie jemand, der gerade von den Toten auferweckt wurde: Eben darum geht es beim Engel des Jüngsten Gerichts. Sein Urteilsspruch ist nichts Trennendes, es gibt hier weder Verdamnis noch Lob, es werden keine Zensuren vergeben.

Das erste Gnadengeschenk des Engels, gleich zu Beginn unserer Reise um die Welt, war sein göttlicher Odem. Von dieser Gnade durchdrungen, sind wir fortgeschritten. Es war eine schöne Reise, und wir waren so fasziniert davon, daß wir das Geschenk des Engels oft für selbstverständlich erachtet haben, als sei es auf alle Zeiten untrennbar mit uns verbunden. Manchmal hat unsere Vergeßlichkeit auch eine Kluft zwischen dieser Gnade und uns aufgerissen, dann sind wir krank geworden. Nun stößt der Engel in seine Fanfare: Er gemahnt uns an seine Gegenwart, daran, daß unser Atem ein göttliches Geschenk ist, die mächtigste Heilkraft, die uns zur Verfügung steht.

Durch sein Jüngstes Gericht vereint der Engel uns wieder mit der Welt. Das ist sein letzter Gnadenakt.

Therapien
Alle Therapien, die sich mit der Atmung befassen und die Macht des Atems nutzen, um den Köper mit frischem Leben zu erfüllen und alle seine Spannungen aufzulösen. Eine dieser Therapien ist das «Rebirthing»: Sein Name rührt daher, daß man im Zuge dieser Therapie Kontakt zu den tiefen Gefühlsschichten und Energieblockaden herstellt, die in Beziehung zu den Erfahrungen der frühen Kindheit oder sogar der Entstehung im Mutterleib stehen.

Das Atmen des Rebirthing kann uns an den Augenblick erinnern, als wir zum ersten Mal im Leben von dem Engel die Gnade des Atems empfingen.

Affirmationen:

Je mehr ich alles fahren lasse, was unwichtig ist, um so mehr öffne ich mich und bin ich bereit, dankbar alle Geschenke des Lebens zu empfangen.

Essenzen:

Bachblüten:

Star of Bethlehem (goldiger Milchstern); Sweet Chestnut (Edelkastanie); Walnut (Walnuss).

Kalifornische Blüten:

Sagebrush (Wermut).

Phytotherapie:

- Pinus silvestris (Kiefer); Populus nigra (Schwarzpappel); Hedera helix (Efeu); Vinca minor (Immergrün); Verbena off. (Eisenkraut), Centaurium erythraea (Tausendgüldenkraut); Ajuga reptans (Günsel) – dies sind allesamt reinigende Pflanzen.

Edelsteine:

Jaspis: regeneriert und tonisiert den Körper und beschleunigt den Heilungsprozeß.

XXI Die Welt

Wir sind nie geboren worden, sind nie gestorben. Wir schweben ewig im Fruchtwasser des mütterlichen Schoßes der Welt, ohne Schwerkraft und Urteil.

In unserem «Tarot der Heilung» stellt die Welt die Karte vollständiger Genesung und Heilung dar. Wir fühlen uns durch den lebensspendenden Atem des Engels regeneriert und erkennen, daß wir von seiner Gnade nicht nur durchdrungen, sondern Teil davon sind.

Wir sind eingetaucht in ein Energiefeld, das uns schützt und heilt. Die Welt ist unser Heim: unser Gefühl, etwas anderes zu sein als die Welt, unsere Abgetrenntheit ist bloße Illusion.

Unsere Reise durch diese Illusion war manchmal dunkel und schmerzhaft, glücklich und farbenfroh: Sie hat viel Spaß gemacht.

0 Der Narr

«Leicht ist richtig. Beginne RICHTIG, und du bist leicht. Der richtige Weg, der leicht zu beschreiten ist, besteht darin, den richtigen Weg zu vergessen und zu vergessen, daß das Beschreiten leicht ist.» (Tschuang Tse)

Der Narr hat die Zahl 0: Als solcher gebührt ihm das Privileg, sowohl am Anfang als auch am Ende der Reihe der Großen Arkana zu stehen. Der Narr läßt sich sowohl am Anfang als auch am Ende der Reise finden: er ist für die amüsante Verrücktheit namens «Leben» verantwortlich.

Manche Leute finden es nicht amüsant, auf dieser Welt zu leben, und sie fragen sich, was diese Verrücktheit bedeutet. Nun, unser Held ist jetzt da, direkt vor uns: Stellen wir ihm diese Frage doch direkt, und hören wir mal, was er darauf antwortet … Der Narr spricht nicht, er geht weiterhin mit seinen schönen Tanzschritten seines Weges … Ist das vielleicht die Antwort, will er uns damit sagen, daß diese die Art ist, die Straßen der Welt der Dualität zu begehen, ohne in ihre Abgründe zu stürzen?

Der Narr trägt eine weiße Blume. Diese Blume war stets ein Symbol seiner nie verlorengegangenen Unschuld auf dem Weg: Die Sonne über ihm hat nie aufgehört, seine Schritte zu erhellen. Doch was ist dann mit unserem Umherirren in der Dunkelheit der Sünde, was ist mit der Unbewußtheit? Ist das alles nur ein Alptraum? Liegt in dieser verrückten Weisheit vielleicht das Geheimnis seiner Ekstase?

DIE KLEINEN ARKANA

Die Kleinen Arkana sind jene Karten, die wir mit Sicherheit schon einmal gesehen haben, und sei es nur ein einziges Mal, und die wir möglicherweise in Form eines der zahlreichen Kartenspiele verwendet haben, wie sie jeder kennt. Die vier Farben, in welche die Karten eingeteilt werden, Schwerter, Stäbe, Kelche und Münzen, werden im Tarot traditionell mit den vier Elementen in Verbindung gesetzt bzw. mit der Luft, dem Feuer, dem Wasser und der Erde.

SCHWERTER stehen in Verbindung zur Luft, weil alles, was schwirrt und schneidet, zu diesem Element gehört. Schwerter sind scharf und spitz und bewegen sich so schnell durch die Luft wie unsere Gedanken, mit denen wir urteilen, schneiden, Gut von Böse unterscheiden, Gerechtigkeit von Ungerechtigkeit, Schönheit von Häßlichkeit. Schwerter sind also das Symbol unserer Neigung zum Teilen, die Wirklichkeit zu trennen und zu analysieren.

STÄBE werden dem Element Feuer zugewiesen, weil die Stäbe der Karten in Wirklichkeit Schößlinge oder Pflanzen sind: Wir sehen sie zu Frühlingsanfang, da ihre aufsteigende Energie sie emporwachsen läßt, dem Sonnenlicht entgegen. Sie weisen dieselbe vertikale Energie auf wie das Feuer, ja wie wir sie selbst haben. Unsere Lebensenergie bewegt sich tatsächlich aufwärtsströmend vom ersten Chakra bis zum letzten.

KELCHE stehen in Beziehung zum Wasser, weil sie seine natürlichen Gefäße sind. Becher fassen Wasser und alle anderen Flüssigkeiten: Sie sind ein Symbol des Herzens, weil das Herz in unserem Körper unser Blut faßt, unsere Gefühle und unsere Stimmungen.

MÜNZEN stehen für die Erde. Man verbindet sie mit Nord, Süd, West und Ost – den vier Himmelsrichtungen der Erde – sowie mit dem Innern, der inneren Ausrichtung, genau wie beim Menschen, der sowohl aus Körper als auch aus Seele besteht. Die Münzen sind ein Symbol der Materie, gleichzeitig aber auch ihrer spirituellen Dimension.

In unserem Tarot der Heilung verkörpern die vier Farben: 1) verschiedene Möglichkeiten, Krankheit zu erleben; 2) die verschiedenen Energien einer jeden Krankheit. Man kann in jeder Krankheit einen Mangel an Gleichgewicht sehen, den körperlichen wie dem geistigen, und die Zahl der Karte deutet dabei stets auf ein bestimmtes Energiemuster: Der Tarot kann uns die Augen dafür öffnen, wie wir ihm unbewußt Energie geben und welcher Energie wir zu einer erfolgreichen Therapie bedürfen.

Die Bedeutung, die wir der Reihe der kleinen Arkana geben, stellt, wie schon bei den Großen Karten, nur eine mögliche Bedeutung von vielen dar. Beim Tarot geht es in allererster Linie um Intuition und kreative Visualisation: Wenn wir versuchen, ihn mit festgelegten Bedeutungen wegzuerklären, würden wir sein gesamtes therapeutisches Potential zerstören.

DIE SCHWERTER

As der Schwerter

Das As der Schwerter schneidet die Realität in zwei Stücke, und es steht für Autorität, Entschlossenheit, für die Kraft des Königs. Dieses As kann beispielsweise auf die Entschlossenheit hindeuten, mit der: 1) wir unseren Geist von der Krankheit loslösen, unseren Körper auf eine Weise vom Rest unseres Seins abtrennen, daß wir seine Bedürfnisse nicht mehr verstehen; 2) wir von dieser destruktiven Herangehensweise im Umgang mit Krankheit ablassen und die Notwendigkeit anerkennen, im Körper zu entspannen, wir der Tatsache gewahr werden, daß wir auf unser Unbewußtes hören müssen, wenn wir wieder genesen wollen, und daß wir nicht dadurch gesund werden können, daß wir vor der Krankheit davonlaufen. Somit kann das As der Schwerter ein Symbol für den ersten, entschiedenen Schritt in Richtung Genesung sein.

Zwei der Schwerter

Wenn wir das nicht tun, wird unsere Energie in zwei Teile gespalten: Auf der einen Seite haben wir dann die energetische Botschaft der Krankheit, auf der anderen unsere mentale Energie, die vor eben dieser Botschaft davonläuft. Diese Situation wird uns blockieren, so daß wir nicht begreifen und verstehen können.

Drei der Schwerter

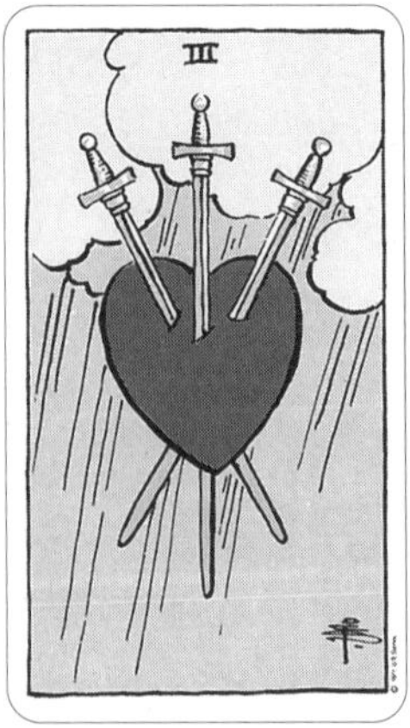

Das verursacht uns Schmerzen, und so wird unser Herz von den Schwertern unserer negativen Gedanken durchbohrt. Indem wir versuchen, die Krankheit abzuwehren, während wir uns weigern, sie zu sehen, verschlimmern wir tatsächlich alles nur noch, weil wir dann nämlich unbewußt Hand in Hand mit ihr zusammenarbeiten.

Was an dieser Welt flößt uns eine solche Angst ein, daß wir es vorziehen, Zuflucht in der Krankheit zu suchen? Das ist eine gute Frage, die man dem Tarot stellen sollte.

Vier der Schwerter

All das schwächt uns so sehr, daß wir uns hinlegen und ausruhen müssen. Diese Situation gibt uns Gelegenheit zum Meditieren, zur Entspannung und zum Hineinhorchen in unser Inneres, weil wir nichts anderes tun, nirgendwo sonst hingehen können: Wir müssen Stille halten, nämlich im Bett.

Fünf der Schwerter

Jetzt haben wir die Chance, unser destruktives Verhalten gründlich zu betrachten, unseren ständigen Kampf mit uns selbst und anderen. Wie immer er ausgehen mag, danach fühlen wir uns ständig irgendwie besiegt. Selbst wenn wir uns gegen unsere Gegner durchsetzen, hat der Sieg doch einen bitteren Beigeschmack: Wir spüren sofort, daß unsere Anstrengungen umsonst waren, daß unser Sieg uns nämlich dazu verurteilt einsam zu sein, von anderen getrennt.

Ist das nicht völlig absurd? Müssen wir denn unbedingt so zwanghaft wettbewerbsorientiert sein? Wettbewerbsorientierung schwächt unsere Immunabwehr und hilft uns ganz bestimmt nicht dabei, gesund zu bleiben.

Sechs der Schwerter

Als nächstes versuchen wir, Zuflucht in der kleinen Welt unserer Familie zu finden, in unseren Alltagsroutinen, unseren kostbaren Sicherheiten und Gewißheiten, und versuchen zugleich, dabei unseren Symptomen zu entfliehen. Doch selbst wenn wir sie nicht erkennen, kommen unsere Probleme immer mit: Unser Boot ist nie leer.

Sieben der Schwerter

Natürlich wäre es besser, etwas Ballast abzuwerfen. Damit würden wir zwar das Problem nicht gänzlich lösen; zwei Schwerter würden nach wie vor im Boden stecken, und unsere Energie bliebe immer noch geteilt, doch könnten wir wenigstens etwas Symptomtherapie betreiben, damit alles ein wenig besser wird. Dann und wann ein kleines Schmerzmittel, das kann doch wohl nicht schaden? Jedenfalls sieht es danach aus.

Acht der Schwerter

Das Heilen von Symptomen funktioniert nicht. Offensichtlich verschlimmern wir unsere Probleme nur noch, wenn wir versuchen, ihnen auszuweichen. Die Wahrscheinlichkeit ist hoch, daß die Symptomtherapie uns sogar noch mehr vergiftet hat: Jetzt sind wir nicht nur unfähig zu erkennen, was fehlt, sondern befinden uns sogar noch in einem Kerker und können uns nicht mehr rühren.

Neun der Schwerter

Inzwischen sind wir wirklich verängstigt und verzweifelt. Wir begreifen nicht, was los ist, wir erkennen nicht, daß wir nichts sehen, weil wir auch nicht wirklich sehen wollen: Tatsächlich halten wir uns mit eigenen Händen die Augen zu.

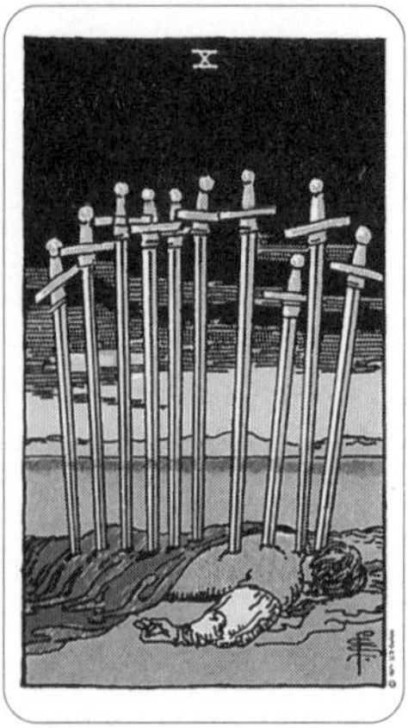

Zehn der Schwerter

Verzweiflung führt nie zu etwas Gutem: Wenn wir ihr nachgeben, fühlen wir uns erledigt und sind völlig erschöpft.

DIE STÄBE

Die Geschichte, die wir hier erzählt haben, handelt von jemandem, der mit seiner Krankheit auf rein mentale Weise umgeht, nämlich nur mit der Luftenergie. Sie erzählt von Grenzfällen, möglicherweise sogar unheilbaren, denn tatsächlich bestehen wir nicht nur aus einem, sondern aus vier Elementen. Dennoch halten wir diese Schilderung für wichtig, weil sie uns Hinweise darauf gibt, zehn unterschiedliche Herangehensweisen zu begreifen, mit denen wir die Krankheit allein durch das Denken und durch Überbesorgtheit angehen, also durch die negative Seite des Elements Luft.

Natürlich können die Schwerter auch manchmal als das Symbol für das Skalpell des Chirurgen gesehen werden, doch spielen alle Karten der Farbe Schwerter, einschließlich der Zehn, die ja offensichtlich die negativste von allen ist, eine überaus wichtige Rolle, was die Gesundheit betrifft: Sie können uns dabei helfen, unsere Energie und unsere Einstellungen zu verändern, können den Boden für eine radikale Genesung, für eine neue Energie, einen neuen Anfang vorbereiten.

As der Stäbe

Verantwortung übernehmen und handeln: Entschiedenheit, das Tun, das ist die Energie der Stäbe, jene neue Energie, auf die wir schon gewartet haben. Wenn wir begreifen, daß das Denken und Sorgen uns nirgendwohin führen und daß wir uns tatsächlich in einer echten Sackgasse befinden, eröffnet sich uns dadurch eine neue Möglichkeit: Dann können wir nämlich damit aufhören, vor der Krankheit wegzulaufen, dann können wir die Verantwortung dafür übernehmen, können damit beginnen, etwas für unsere eigene Gesundheit zu tun.

Zwei der Stäbe

Wir sind es müde, uns passiv auf die äußere Hilfe von Menschen zu verlassen, denen wir sämtliche Verantwortung für unsere Gesundheit und unser Glück übertragen haben: Jetzt fühlen wir uns stark und zuversichtlich genug, um die Frage zu stellen, was wir denn selbst für unser eigenes Wohlergehen tun können. Schließlich geht es ja um unser Leben – wir tragen die Verantwortung.

Drei der Stäbe

Immerhin sind wir nicht hilflos und allein: Die Welt selbst gewährt uns alle Hilfe und energetische Unterstützung, die wir brauchen. Wir können uns auf diese Krücken stützen und darin die Kraft finden, zu überleben und uns selbst zu heilen. So können wir beispielsweie Energie aus den Pflanzen ziehen, die wir essen, oder aus den Heilpflanzen der Phytotherapie: Wir können selbst nach ihnen Ausschau halten, während wir in unserem Garten oder auf dem Land spazieren gehen.

Das wäre an sich bereits eine Therapie. Ein altes Sprichwort sagt: «Niemand kann dich besser heilen als du selbst.»

Vier der Stäbe

Wenn wir uns selbst um uns kümmern, wenn wir die Verantwortung für unsere eigene Gesundheit übernehmen, ist unsere Persönlichkeit nicht mehr in zwei gegensätzliche Teile zerrissen: Dann können wir unsere Gegenwart und unsere Zukunft sehr viel positiver und konstruktiver betrachten. Beginnen wir zu begreifen, daß wir bereits alles besitzen, was wir brauchen, um uns besser zu fühlen und uns selbst zu heilen!

Fünf der Stäbe

Früher waren wir völlig passive Patienten, jetzt interessieren wir uns aktiv für die eigene Gesundheit. Dabei laufen wir Gefahr, es zu übertreiben und unsere Energien zu vergeuden, indem wir widersprüchliche Kuren und Therapien befolgen, die unsere Verwirrnug nur noch steigern.

So etwas geschieht manchmal mit den Neulingen der alternativen Medizin: Sie fallen von einem Extrem ins andere, verlassen sich nicht mehr auf den Rat anderer Leute, um statt dessen blindlings mit Heilmitteln zu experimentieren, die sie nur oberflächlich verstehen.

Sechs der Stäbe

Wir haben Kontakt zu unseren Heilungsenergien hergestellt. Jetzt lernen wir, unsere Bemühungen zu konzentrieren, indem wir uns auf die Therapie selbst konzentrieren, die uns am besten zusagt. Wir müssen die nunmehr wachgerufenen Energien lenken und sie erfolgreich zum Ziel der Genesung führen.

Sieben der Stäbe

Auf unserem Weg der Genesung befindet sich eine Fallgrube: ein vorübergehender Rückfall. Und doch sind wir inzwischen stärker geworden und können uns der Konfrontation stellen – also kein Anlaß zur Panik! Darüber hinaus kann diese Karte darauf hinweisen, daß wir tatsächlich gegen uns selbst ankämpfen und daß eine unserer Energien alle anderen blockiert.

Acht der Stäbe

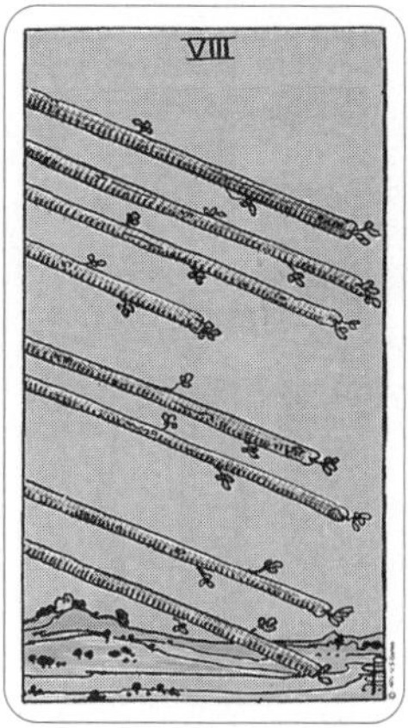

«Leicht ist richtig», sagt ein altes Sprichwort des Ostens. Wir brauchen eine Therapie, die auf Spontaneität, auf Verständnis beruht und die ohne Anstrengung funkioniert. Die «richtige» Therapie ist jene, die uns leicht fällt und natürlich kommt. Wenn alle Spannungen beseitigt sind, können unsere Heilenergien ungehindert strömen und wie Pfeile über den Mittagshimmel schießen.

Neun der Stäbe

Es war zu schön, um wahr zu sein! Gerade glaubten wir noch, wir könnten fliegen wie die Pfeile, und plötzlich fragen wir uns, ob dieses Gefühl real war oder nicht. Wir haben unserem Glück nicht getraut, und indem wir es in Zweifel zogen, haben wir es mit eigenen Händen zerstört.

Was uns dabei widerfuhr, gleicht dem, was der sprichwörtliche Tausendfüßler erlebte, als man ihn fragte, wie er es nur schaffe, auf tausend Beinen zu gehen, ohne ein einziges Mal zu stolpern: Sobald er darüber nachdachte, fiel er hin und kam nicht mehr hoch.

Zehn der Stäbe

Wir werden langsam erschöpft und haben das Gefühl, als würden wir eine schwere Last auf den Schultern tragen. Unsere Anstrengung wird so groß werden, daß wir sie nicht einmal mehr spüren: Dazu werden wir viel zu sehr damit beschäftigt sein, die auseinanderstrebenden Stäbe unserer Energien zusammenzuhalten. Diese Stäbe werden sich schwer auf unseren Nabelbereich legen, auf den Mittelpunkt unseres Körpers, wo sie unser «Chi», unsere Lebenskraft, ersticken.

DIE KELCHE

As der Kelche

Wenn wir unsere Stäbe niederlegen, kann sich uns eine neue Dimension öffnen; wir öffnen zugleich unser Herz und werden bereit, uns einfach so zu fühlen, wie wir sind. Die Kelche stehen für unsere Fähigkeit, empfänglich zu sein, zu warten und zu empfangen: Keine Therapie kann Erfolg haben, wenn wir unfähig sind, uns für die Kur zu öffnen.

Das As der Kelche weist deutlich darauf hin, daß die Existenz jetzt dazu bereit ist, uns einen Kelch voll Lebensenergie zu spenden und uns die Gnade der Heilung zuteil werden zu lassen, wenn wir bereit sind, sie mit offenen Herzen anzunehmen.

Zwei der Kelche

Es ist aber gar nicht so leicht, unser Herz zu öffnen, wenn wir allein sind: Das geht viel leichter, wenn sich unser Herz mit dem unseres Liebespartners oder Freundes trifft: Dann liegt die Betonung darauf, die Wärme des anderen zu spüren, mit ihm das Gefühl der Liebe zu teilen. Die Liebe ist die größte aller Heilkräfte.

Drei der Kelche

Noch leichter fällt die Genesung, wenn die Liebesenergie sich überall um uns herum ausbreitet und alle umfaßt, denn dann herrschen große Freude und Festlichkeit. Die Trennung ist vergessen: Wir fühlen uns wie ein Tropfen in einer Welle aus Energie.

Vier der Kelche

Nun entscheiden wir uns, doch lieber verschlossen und unverfügbar zu bleiben. Wir erkennen nicht einmal, welche wunderschönen Geschenke uns da angeboten werden. Wir werden uns unserer unerfüllten emotionalen Bedürfnisse bewußt, aber auch der Sturheit, mit der wir an ihnen festhalten. Wenn wir einsam sind, können wir meditieren. Dann verwandelt sich die Einsamkeit in Alleinsein.

Fünf der Kelche

«Über vergossene Mich zu weinen», ist auch eine häufige Methode, das Wesentliche zu verpassen. Dann sind wir so gebannt von all den verpaßten Gelegenheiten, daß wir überhaupt keinen Blick mehr für die vielen anderen haben, die uns immer noch offenstehen. Was sollen wir tun, wenn doch so wenig Hoffnung übrig bleibt? Es bedarf einer Umkehr um hundertachzig Grad. Wir müssen uns dessen bewußt werden, was wir haben, und nicht nur dessen, was uns fehlt.

Sechs der Kelche

Wir müssen wieder von neuem anfangen und von den Kindern die Kunst des Spielens lernen, Spielsachen und die Innenwelt ihrer Phantasie miteinander zu teilen. Unser inneres Kind lädt uns erneut zu diesem Spiel ein, weil wir es nicht beendet haben, als wir anfingen, die Welt durch die Brille von «Mein» und «Dein» zu betrachten.

Sieben der Kelche

Was ist wirklich? Was ist unwirklich? Und was ist diese Wirklichkeit der Wünsche und Gefühle? Projiziere ich die ganze Sache nur, nachdem ich von den Sechs Kelchen der Eitelkeit, der Lust, des Stolzes, der Habgier, des Ehrgeizes und der Angst getrunken habe? Der siebte Kelch ist der Kelch des Mysteriums, ein Licht inmitten all dieser Dunkelheit, eine verborgene Gegenwart, die entschleiert werden will.

Acht der Kelche

Indem wir unseren Projektionen nachgejagt sind, unseren Launen gefolgt und unsere Begierden erfüllt haben, sind wir nun hier angelangt, während unsere seelisch-körperliche Energie dabei zerstreut wurde. Etwas Wesentliches fehlt, unser Durst läßt sich nicht durch Spielzeug und Projektionen löschen – wir möchten das, was wirklich ist. Dies ist die Zeit, da wir Einkehr üben und das Alte zurücklassen. Denn nun hat die Suche begonnen.

Neun der Kelche

Es ist fruchtlos, den Wünschen hinterherzulaufen, sowie es nutzlos ist, der Angst zu entfliehen. Wenn wir davonlaufen, entweicht uns stets die Erfüllung; wenn wir fliehen, folgt unser Schatten uns auf Schritt und Tritt. Nun ist die Zeit der Meditation angebrochen: sitzen und beobachten und einfach nur da sein. Auf diese Weise können wir das Mysterium des Kelchs unseres Herzens entdecken, des zehnten Kelchs, der der Heilige Gral ist.

Zehn der Kelche

Den wahren Sieg, die wahre Feier finden wir nur in schlichten Dingen, in einfachen Freuden. Wahre Zufriedenheit besteht darin, ein Leben der Harmonie zu führen, da unser Herz – und die Herzen anderer – gemeinsam singen und tanzen. Wenn die Harmonie wiederhergestellt ist, ist auch die Heilung erreicht.

DIE MÜNZEN

As der Münzen

Ein Leben in Harmonie macht uns ganz, es hilft uns, im Hier und Jetzt zu sein und erschließt eine neue Dimension, nämlich die der Bewußtheit des Seins, der Seele. Im goldenen Licht des Bewußtseins können wir den fünfzackigen Stern erkennen, der für den menschlichen Körper mit seinen fünf Sinnen steht, ein Geschenk der Seele.

Körper und Seele sind eins: Eben diese Einheit beschreiben die Münzen.

Die Münzen gemahnen uns daran, daß wir nicht nur mit der Lunge atmen: Ebensosehr atmen wir nämlich auch mit der Seele.

Zwei der Münzen

Körper und Seele, Geist und Materie sind Dimensionen des Seins, die sich nicht voneinander trennen lassen, doch fällt es nicht immer leicht, diese Wahrheit nicht aus den Augen zu verlieren. Oft neigen wir dazu, uns nur mit einer dieser Polaritäten zu identifizieren, dann kleben wir daran fest und sind nicht mehr dazu in der Lage, mit der Gesamtheit unserer Existenz zu spielen.

Die Krankheit kann eine Möglichkeit darstellen, uns der tiefen Harmonie zu erinnern, die hinter der scheinbaren Widersprüchlichkeit der Gegensätze verborgen liegt: Dieses Erinnern beschert uns Gesundheit.

Drei der Münzen

Unser Körper ist ein Tempel, der auf den Säulen unseres Geistes ruht und dem Himmel entgegenragt. Unsere Bewußtheit erschafft ihn: Wir sind verantwortlich für unsere Gesundheit, für die architektonische Ausgewogenheit dieser wunderschönen Kathedrale.

In dieser Zeit fühlen wir uns vielleicht dazu hingezogen, die Heilkünste zu erlernen oder uns einer Studien- oder Meditationsgruppe anzuschließen.

Vier der Münzen

Wir leben oft so, als hinge unsere Selbstverwirklichung von unserem Bankkonto ab, als würden wir glauben, daß materieller Besitz die einzige Form der Existenz sei. Doch unser Festhalten an materiellen Dingen macht uns nicht etwa glücklich, sondern vielmehr niedergeschlagen und krank, weil wir dadurch den Tempel unseres Körpers entstellt und darüber vergessen haben, daß das Licht unseres Geistes ihn doch eigentlich schön machen und stützen sollte.

Wenn wir uns zu stark mit der Dimension des «Habens» identifizieren, finden wir uns in einer kalten Welt wieder, in der wir umherirren wie die Bettler.

Fünf der Münzen

So reich wir materiell auch sein mögen, kann es paradoxerweise dennoch sein, daß wir der Almosen anderer bedürfen. Wenn wir vor dem Arzt stehen und die Almosen seiner Therapie in Empfang nehmen, ist es in Wirklichkeit nicht die körperliche Erkrankung, die uns wie Bettler aussehen läßt, sondern unsere Unbewußtheit und der Mangel an Selbstvertrauen. Und doch ist das Eingeständnis der eigenen Ohnmacht ein wichtiger Schritt zur Entdeckung unserer tatsächlichen Macht.

Sechs der Münzen

Ob wir am gebenden oder am empfangenden Ende stehen, spielt keine Rolle, weil wir uns immer wieder mal auf der einen, mal auf der anderen Seite befinden werden. Wichtig ist dagegen, daß die Hilfe stets dann kommt, wenn man ihrer bedarf. Vergessen Sie nicht, daß Sie sich durch Annahme von Hilfe als Gebender qualifizieren, denn was immer Sie anzunehmen lernen, werden Sie auch weiterzugeben lernen müssen.

Sieben der Münzen

Ein altes Sprichwort besagt: «Begegnest du einem armen Mann, gib ihm keinen Fisch zu essen, sondern eine Angelrute.»

In unserer Situation ist es klar, was damit gemeint ist: Es ist zwar gut, all die Therapien zu empfangen, die von außen kommen, aber wir müssen sie auch als Ausgangspunkt nutzen, uns selbst zu erkennen. Wir müssen unsere Hausaufgaben erledigen. Wenn wir das tun, haben wir damit eine Saat ausgebracht, die uns dauerhaft die Früchte der Gesundheit und Bewußtheit beschert.

Acht der Münzen

Wir haben unsere Grundbedürfnisse befriedigt und gelernt, die Saat auszubringen und auf die Ernte zu warten. Jetzt stehen wir vor einer etwas kreativeren Aufgabe: Die goldene Scheibe in den Händen des Handwerkers steht für das Streben unserer Seele, für ein neues Entfalten unserer Energien.

Diese Karte deutet an, daß wir zur Heilung unserer Krankheiten auch einer neuen Vision, einer ausschließlichen Berufung und Kreativität bedürfen. Gesundheit, sicher, doch wozu? Unser Leben muß einem Ziel folgen und darf nicht Selbstzweck sein. Indem wir unsere Arbeit tun, bleiben wir gesund, und unsere Gesundheit wiederum wird sich in unserer Arbeit widerspiegeln.

Neun der Münzen

Dann wird der Garten unseres Lebens ergrünen und voller Blumen sein. Dann wird materieller Reichtum unsere Seele nicht beschweren, sondern zum natürlichen Ausfluß eines sehr viel tiefer gehenden, erfüllenderen Reichtums werden. Das ist das erfüllte Leben, der Sommer unseres Weinbergs, die Entfaltung unserer Rose, die ihre innersten Blütenblätter offenbart wie die Dame im Mittelpunkt dieser Karte.

Zehn der Münzen

Wir sind wieder zu Hause angekommen. Jetzt haben wir begriffen, daß unser Leben unser Haus ist, unser Körper ein Gebäude, und wir sind die Handwerker, die beide erschaffen. Krankheit löst sich auf, wo sie verstanden wird. Wenn wir das Leben leben, das uns bestimmt ist, wenn unser Körper geerdet ist und unsere Sinne sich im Einklang befinden, wird unsere Welt heller erstrahlen, weil mehr von unserer Seele hineinleuchten kann. Wahre Spiritualität leugnet nicht den Körper, sie feiert ihn als nützliches Werkzeug.

DIE HOFKARTEN

Die Hofkarten bestehen aus den Buben, den Rittern, den Königinnen und den Königen der vier einzelnen Farben. Sie stehen für unsere Persönlichkeit, für unsere Masken, die Rollen, die wir spielen, während wir die Dimensionen des Denkens (Schwerter), des Handelns (Stäbe), des Fühlens (Kelche) und des Seins (Münzen) erforschen.

Bube der Schwerter

Wir hängen zwischen Himmel und Erde, sind uns nicht sicher, ob wir wirklich auf diese Erde gehören. Diese Welt zieht uns zugleich an und stößt uns ab, und wir benutzen unseren Verstand, um uns vor ihr zu schützen.

Ritter der Schwerter

Die ganze Welt ist das Theater unserer Unternehmungen, unserer Fähigkeit zur Aggression, dazu, jedes Hindernis mit dem Schwert unseres Urteilsvermögens und mit der Schnelligkeit unseres Verstands anzugreifen. Der Ritter der Schwerter ist ein Symbol sowohl für unsere Neigung zu urteilen, zu kritisieren und zu verdammen, als auch für die Heftigkeit, mit der wir zur Tat übergehen.

Königin der Schwerter

Die Königin der Schwerter ist wie eine strenge Mutter. Immer ist sie bereit, uns einen unserer vielen Fehler zu verzeihen oder uns dafür zu verdammen. Mütter sind oft richtge Expertinnen, wenn es darum geht zu bestimmen, was für ihre Kinder richtig oder falsch ist, uns Schuldgefühle einzuflößen, wenn wir nicht tun, was sie sagen. Um auf ihrem Thron verweilen und ihre Macht weiterhin ausüben zu können, beuten sie unsere Schuldgefühle aus und flößen sie uns schon mit der Muttermilch ein, bis die Schuld zu einem Teil unserer selbst geworden ist.

König der Schwerter

Der König der Schwerter ist ein Symbol für unsere Fähigkeit zu kritisieren und für die königliche Autorität, die diese begleitet. Dank der kalten Macht des Verstandes kann er zwar auf seinem Thron sitzen, fühlt sich dabei aber nicht behaglich: Er ist überhaupt nicht entspannt, er hält die Luft an, ist ständig bereit, sein Schwert gegen jeden zu führen, der es wagen sollte, seinen Thron zu bedrohen.

Dies sind unsere vier, dem Element Luft zugehörigen Masken, die Art und Weise, wie wir durch die Energie des Verstandes handeln. Wir haben sie hier zwar aus pathologischer Sicht beschrieben, dürfen dabei aber nicht vergessen, daß sie auch unsere Überlebensstrategien darstellen. Tatsächlich können wir nur deshalb überleben, weil wir so wachsam sind wie der Bube der Schwerter und über die Entschlossenheit des Ritters verfügen, das Richtige und das Falsche so scharf zu unterscheiden wissen wie die Königin und in unseren Entscheidungen die Autorität des Königs ausüben.

Diese geistigen Strategien mögen zwar in gewissen Situationen pathologische Ausmaße annehmen, sie können uns dafür aber in anderen zur Heilung verhelfen.

Bube der Stäbe

Ein junger Herr, in den rötlichen Farben des Feuers gekleidet, lernt gerade, die seinem Hut entspringende trockene Energie des Feuers in etwas Lebendiges zu verwandeln, in etwas, das wachsen kann.

Alleingelassen kann die Feuerenergie nur Ödland zurücklassen, wie wir in dieser Karte sehen: Der Bube lehrt seine Yang-Energie, eine Beziehung zur Welt herzustellen. Die jungen Blätter und Wurzeln seines Stabs lernen, die Luft zu atmen und Wasser aus der Erde zu ziehen. Der Bube der Stäbe ist ein Schüler, der sich in dieser Welt zurechtzufinden versucht: Er lernt die Wachsamkeit, den Respekt für die Harmonie der vier Elemente, die in jedem Lebewesen existieren.

Ritter der Stäbe

Der Bube ist inzwischen zu einem Ritter geworden: Er hat gelernt, seine Energie zu benutzen, und kühn trägt er sie in dem Panzer herum, mit dem er sie einschließt. Der Ritter der Stäbe ist ein furchtloser, feuriger Kämpfer, der sich keine Sorgen um seine Selbstverteidigung macht: Ihm geht es nur darum, seine explosive Energie richtig zu benutzen, die alles venichten könnte, würde sie nicht durch seine Rüstung gezügelt.

Der Ritter der Stäbe muß das Außen vor seinem Innen schützen. Diese Karte scheint darauf hinzuweisen, daß wir nicht etwa aufgrund dessen erkranken, was die Welt uns antut. Vielmehr sind es unsere eigenen Exzesse und unser zerstörerisches Verhalten, die unsere Umgebung fortwährend vernichten – und damit letzten Endes uns selbst. So wird unsere lebenswichtige Umwelt unfruchtbar und stirbt ab – das ist lebensfeindlich.

Die Königin der Stäbe

Die Königin der Stäbe hält einen Zauberstab fest in den Händen, und zu ihren Füßen ist eine beunruhigende schwarze Katze zu sehen, ein Symbol ihrer Macht. Sie weiß die männliche Energie des Feuers zu meistern, die sie besitzt und von der sie beherrscht wird: So mag sie uns an ein Mannweib oder eine Hexe erinnern, und manche Männer würden in ihr sicherlich eine herrische Geschäftsfrau erblicken und sich in ihrer Gegenwart möglicherweise unbehaglich fühlen.

Frauen wie sie sehen manchmal drahtig, ja männlich aus – vielleicht haben sie einen besseren Zugang zu ihren praktischen Errungenschaften als zu ihren Gefühlen und vergessen darob ihre Beziehung zur Mutter Erde. Tatsächlich sitzt die Königin der Stäbe viel zu steif da, um Verbindung zu ihrem eigenen Bauch zu halten; sie hält die Luft an wie der König der Schwerter, und ihre Energie konzentriert sich stärker in ihrem Kopf als in Bauch und Herz.

Das männliche und weibliche Prinzip zugleich zu verkörpern, ist nicht leicht: Eine Persönlichkeit, eine Maske kann sich schließlich kaum in ihrem Verhalten der entspannten Selbstsicherheit der Herrscherin bedienen. Die Königin der Stäbe ist so stark darauf konzentriert, ihre eigene Autorität zu behaupten, daß sie sich dadurch verspannen und schließlich sogar gänzlich erschöpfen könnte.

Der König der Stäbe

Auch der König der Stäbe sieht nicht entspannt aus: Es scheint, als würde er gleich aufspringen und irgendwohin laufen; schon hat er den Blick abgewendet und sieht aus, als würde er sagen: «Laßt mich das machen …» Beide, der König und die Königin der Stäbe sind ziemlich egozentrisch. Sie verkörpern die feurige Energie des Tierkreiszeichens Löwe, wie wir an den Salamandern und Löwen im Webmuster der hinter ihnen hängenden Wandteppiche erkennen. Wird er zu Untätigkeit verdammt, ist das zu viel für den König. Er kann nicht einmal auf einem Thron stillsitzen, den zu erobern er sich solche Mühe gemacht hat.

Der Bube der Kelche

Nach so viel Handlung wollen wir innehalten, um etwas zu trinken: Der Bube der Kelche entbietet uns einen Kelch, der mit dem Wasser des Lebens gefüllt ist. Dieser Kelch ist voller Gefühle: Durch sein Geschenk lernen wir begreifen, daß wir auch fähig sind, zu geben, daß wir unsere Liebe auch mit anderen teilen müssen – so sind wir dem Buben für sein Geschenk dankbar und hegen den spontanen Wunsch, es zu erwidern.

Wenn es uns aber schwerfallen sollte, zu nehmen und zu geben, sehen wir im Buben statt dessen vielleicht nur einen Kellner, der uns aufwartet; dann glauben wir entweder, daß wir ihm sogar einen Gefallen damit tun, sein Geschenk anzunehmen, oder daß seine Liebe nichts sei, was er uns schenkt, sondern etwas, was wir einkaufen und bezahlen. Dann wird das Geben für uns zu einer Form der Arbeit, einer Plage, und so begegnen wir jedem Geschenk, jedem Ausdruck von Gefühlen mit Mißtrauen.

Der Ritter der Kelche

Es bedarf Mut, um auf unserem Weg den offenen Kelch des Herzens zu tragen. Wenn wir das tun wollen, brauchen wir das edle Herz dieses makellosen Ritters: Er ist bereit, den Fluß des Lebens auf seinem Schimmel zu überqueren, und schickt sich gerade an, seinen Kelch mit dem Wasser dieses Flusses zu füllen.

Das Herz ist unser Führer. Wenn wir uns ihm ausliefern, würden wir überall hinfliegen, wo es uns hinführt, aber wir müssen es mit einer Rüstung beschützen, sonst könnte es in Stücke brechen: Wenn wir unsere Weichheit, unsere Verletzlichkeit nicht abschirmen, könnte es geschehen, daß die Welt uns zermalmt.

Unser Problem besteht darin, den Mittelweg zwischen dem ungehinderten Ausdruck unserer Gefühle und dem Selbstschutz zu finden. Auf der einen Seite laufen wir Gefahr, von unseren Emotionen verschlungen zu werden, auf der anderen liegt das Risiko, zu hart, zu verschlossen und zu gefühllos zu werden: Wir würden unter beide Extreme leiden – Gesundheit aber liegt genau in der Mitte.

Die Königin der Kelche

Die Königin der Kelche ist das Symbol exzessiven Selbstschutzes. Sie steht für das Mißtrauen, mit dem wir die Kelche betrachten, die das Leben uns unentwegt darbietet, wie auch unsere Gefühle, sogar die allerheiligsten – sie steht für unseren Mangel an Vertrauen und unsere unterschwellige Aggressivität.

Manchmal sind wir uns dieser subtilen Aggressivität gar nicht bewußt, dann tritt diese nicht an die Oberfläche, um sich irgendwie auszudrücken, sondern verweilt in unserem Innern, wo sie vor sich hin lodert und verhindert, daß wir einen Zugang zu unseren eigenen Gefühlen herstellen, die doch für uns, für eine Königin der Kelche, von größter Bedeutung sind.

Der König der Kelche

Der Thron der Königin hat das Wasser der Emotionen nicht direkt berührt, er ruhte noch auf einem Landstreifen. Der Thron des Königs dagegen ist den Wellen ausgeliefert. Diese Karte zeigt uns, daß wir tun müssen, was auch der König der Kelche tut, wenn wir nicht in unseren Gefühlen ertrinken wollen: Wir müssen lernen, sie zu meistern.

Der Thron des Königs besteht aus Bimsstein: Er ist hart und leicht zugleich und kann auf dem Wasser schweben.

Der Bube der Münzen

Der Bube der Münzen ist ein junger Edelmann, der auf dem Land lebt. Eben hier, auf dem Land nämlich, können wir uns einsammeln, wie wir Blumen auf einer Wiese oder Obst in unserem Garten pflücken. Hier können wir unsere eigene Schönheit und die Schönheit der Welt um uns herum kennenlernen.

Der Ritter der Münzen

Der Ritter der Münzen scheint den Schatz zu bewachen, den der Bube in seinem Land gefunden hat. Der Ritter sitzt fest auf einem stattlichen schwarzen Hengst: Sein Pferd steht still, mächtig und finster, könnte aber jeden Augenblick losgaloppieren, herumfahren und seinen Reiter abwerfen. Deshalb trägt der Ritter zum Selbstschutz eine Rüstung. Er hält Verbindung zu seinem vitalen Sein, zu seinen tierischen Instinkten, und scheint sie bemeistert zu haben und auf ihnen zu reiten.

Möglicherweise hat der Ritter eine allzu schwere Rüstung angelegt, um sich vor dem Aufbäumen und dem Herumfahren seines Pferds zu schützen. Sollte dies der Fall sein, könnte der schwarze Hengst seiner tierischen Instinkte wegen sich nicht mehr bewegen, dann wäre auch unser Ritter zum Stillstand verdammt. Am Ende gliche er einer steinernen Reiterstatur.

Die Königin der Münzen

Damit eine Frau Verbindung zu ihrem eigenen Sein herstellt, braucht sie nicht erst das Land zu durchstreifen oder zur Kriegerin zu werden: Das trägt sie bereits in ihrem Bauch mit sich. Im Schoß der Frau pflanzt sich das Sein fort und manifestiert sich: Dieses Phänomen ist so intensiv, daß man dich dessen bewußt sein muß.

Schwangere Frauen künden durch ihr nachdenkliches Aussehen von dieser Bewußtheit: Sie sind in sich selbst versunken, und ihre Energie richtet sich nach innen – sie betrachten das Wesen, das wie eine goldene Scheibe in ihrem Bauch leuchtet. Die Königin der Münzen sieht aus wie die Herrscherin, sie weist dieselbe friedliche Autorität und dieselbe schöpferische Macht auf.

Wenn wir in Verbindung zu unserem inneren Kind stehen, fühlen wir uns reich, sind wir unseres Wesens bewußt, gleichzeitig aber können wir herrisch und willkürlich werden.

Der König der Münzen

Der König der Münzen ist von oben bis unten mit roten Trauben und grünen Weinblättern bedeckt. Der Saft dieser Trauben ist üppig und süß, und der König ist der Alchemist, der ihn destilliert: Er besitzt die Macht, das unedle Blei der Erde in Gold, in Reichtum und Überfluß zu verwandeln. Sein Zepter ist ein Symbol dieser alchemistischen Macht, und es gleicht dem Zepter der Herrscherin, der Mutter Natur.

Wie die anderen Hofkarten der Münzen, beobachtet auch der König die strahlende Scheibe in seiner Hand, das Symbol der Bewußtheit und des Seins. Die dunkle Kraft des in seinem schwarzen Thron eingravierten Stiers teilt uns mit, daß er die für seinen alchemistischen Prozeß erforderliche Energie aus der Verbindung zu dieser primitiven, tierischen Kraft zieht.

Reife Trauben genügen nicht, um einen guten Wein zu keltern: Ein Spitzenwein braucht eine sehr sorgfältige Mischung von Mineralsalzen, Sonne, Wasser und Luft. Dasselbe gilt für den Menschen: Das Geheimnis unserer körperlichen und geistigen Gesundheit liegt in einer ausgewogenen und harmonischen Ernährung.

Die vier Hofkarten der Münzen stehen für vier Möglichkeiten, eine Verbindung zum Zentrum herzustellen, zum Bewußtsein unseres Wesens; zugleich verkörpern sie aber auch vier unterschiedliche therapeutische Ansätze: Tatsächlich beruht unser gesamtes Buch auf der Grundannahme, daß die Bewußtmachung die beste erdenkliche Therapie ist. Um diese Form von therapeutisch wirksamer Bewußtheit zu erlangen, müssen wir die Natur genau kennenlernen, eine Beziehung zu der irdischen Dimension unserer Instinkte herstellen und lernen, sie zu beobachten und dabei zu transformieren.

Der Hang zur Wiederholung und zur Oberflächlichkeit sind die Hindernisse, die es zu überwinden gilt, wenn wir zu einer stabilen Beziehung zu dem schwarzen Pferd unserer Instinkte finden wollen.

DIE REGELN DES SPIELS

Ein Halbkreis im Sand

Affenforscher berichten, daß man mit einem Stock einen Halbkreis in den Sand ziehen kann: Kommt nun ein Gorilla vorbei, wird er den Kreis sofort mit einem weiteren Halbkreis schließen. Selbst der Geist eines Gorillas kennt also den Archetyp des Kreises. Die Geschichten, die uns der Tarot erzählt, besitzen eine Kreisstruktur, weil der Kreis jener Archetyp ist, der alle anderen Archetypen enthält.

Der Tarot funktioniert in zyklischer Weise. Der Fragende schafft mit seiner Frage eine Hälfte des Kreises, der Tarot-Deuter vervollständigt sie mit seiner Antwort. Indem er eine Frage formuliert, stellt sich der Fragende vor den Spiegel des Tarot auf, und das Abbild in diesem Spiegel schließt seinerseits den Kreis.

Die Antwort auf unsere Frage ist stets präsent, wir müssen nur den Schleier unserer Gedanken durchstoßen, unserer vorgefertigten Vorstellungen, und in den Spiegel unseres Bewußtseins blicken. Der Tarot ist ein Spiegel, der unsere Zweifel beseitigt, indem er unsere Gewißheiten vernichtet. Wenn wir uns des Zweifels entledigen wollen, dem unsere Frage entspringt, müssen wir auch die falschen Sicherheiten und Gewißheiten loslassen, die uns daran hindern, den Ausweg zu erkennen. Wir müssen unserer Frage eine Menge Energie widmen, denn diese Energie wird stärker durch die Antwort und kehrt durch diese zu uns zurück, um uns zu heilen: Genau dies aber ist die Antwort des Tarot.

Der Tanz und die Verbindung zu den eigenen Gefühlen

Da wir unsere Frage mit aller Energie, die wir aufbieten können, stellen sollten, sollten wir die Sitzung auch mit einem Tanz oder einer Tiefatmung beginnen, um die Energie des Körpers anzuregen und zu harmonisieren. Denn normalerweise steckt der größte Teil unserer Energie im Kopf, im Verstand fest: Durch das Tanzen spenden wir den anderen Teilen unseres Körpers und unserer Seele «Saft» und Bewußtheit, während wir zugleich die Blockaden abschütteln und loslassen, die unsere Fähigkeit zu sehen beschränken.

Dann können wir vor dem Tarot Platz nehmen und die freigesetzte Energie dazu nutzen, eine Verbindung zu den tiefen Gefühlen hinter unserer Frage herzustellen. Wir schließen die Augen, atmen tief durch und senden unsere Energie nach innen: Auf diese Weise können wir in Berührung mit unseren Gefühlen gelangen. Dann heben wir die linke Hand und fahren damit über die vor uns ausgebreiteten Karten, wobei wir uns Zeit nehmen und abwarten, bis die im Innern konzentrierte Energie die Finger auf eine der Karten zubewegt.

Dieser Vorgang sieht in der Beschreibung recht einfach aus, und das ist er eigentlich auch, solange wir unserer Intuition hinreichend vertrauen können, um all unsere Gewißheiten beiseite zu schieben. Viel häufiger allerdings verhalten wir uns ganz anders: Wir stellen zwar eine Frage, glauben aber gleichzeitig, daß wir die Antwort darauf bereits kennen. Und unser Verstand fährt damit fort, Antworten zu liefern.

Der Tarot ist ein Spiegel, und so können seine Antworten auch nur unsere Fragen widerspiegeln: Wenn unsere Fragen aus dem Verstand kommen, aus einem Ort der Rastlosigkeit und Verwirrung, werden die Antworten dementsprechend oberflächlich und vage bleiben. Es ist nicht immer so einfach, eine Verbindung zu unseren tiefsitzenden Gefühlen und Emotionen herzustellen:

Wenn sie schmerzhaft sind, versucht unser Verstand, sich vor ihnen mit einer Mauer aus Rationalisierungen und Pseudoerklärungen zu schützen. Wenn wir aber möchten, daß der Tarot uns wirklich hilft, müssen wir ebendies bewältigen.

Die Kunst, demütig und empfänglich zu sein

Wenn wir die Karten für andere deuten, sollten wir uns auf den Ratsuchenden einschwingen und seine Suche Schritt um Schritt führen, doch dürfen wir dabei nie irgendwelche Schlußfolgerungen ziehen: Im Gegenteil, wir sollten stets sicherstellen, daß unsere Intuition ausschließlich dem Ratsuchenden dient und daß wir nicht einfach nur unsere Antworten auf diesen projizieren. Ein geschickter Tarot-Deuter ist jemand, der den Fragenden dabei behilflich sein kann, seine eigenen Verteidigungsmauern zu überwinden, ohne dabei irgendwie in sein Leben einzugreifen.

In dieser Hinsicht wird die Kunst des Tarotlesens vom Archetyp des Sterns regiert. Der Stern ist ein Symbol der Demut, er steht für unsere Fähigkeit, uns zu beugen und eine Beziehung zu der Person herzustellen, die da vor uns sitzt, damit wir wahrhaft dazu in der Lage sind, zu geben und zu empfangen. In gewisser Weise verhält sich der Tarot-Deuter wie eine Hebamme, der dem Ratsuchenden dabei hilft, seine eigene, ursprüngliche Frage zu gebären und zu einer Antwort zu finden.

Wir glauben normalerweise, daß wir die Antwort bereits kennen. *Die erste Grundregel des Tarotspiels lautet, daß wir alle unwissend sind. Beide, sowohl der Deuter als auch der Ratsuchene, müssen als allerersten alle Anmaßungen und jeden Hochmut fallen lassen.*

Ein Abbild im Spiegel unseres Bewußtseins

Schauen wir uns nun die zweite Kreishälfte an, den zweiten Teil des Spiels: die Antwort nämlich. Wir blicken auf den Rücken der Karte, die wir ausgesucht haben: Bevor wir sie umdrehen, wollen wir die Augen schließen und einnmal tief durchatmen. Auf diese Weise stellen wir eine Verbindung zu unseren Emotionen, zu unserem inneren Kind her: Dieses Kind war es ja auch, das die Karte überhaupt ausgesucht hat, und nun bedürfen wir erneut seiner Hilfe, um unseren Verstand beiseite zu stellen und den Tarot mit empfänglichen, unvoreingenommen Augen zu betrachten. Nun drehen wir die Karte um *und sehen sie an.*

Wenn wir diesem allerersten Blick voll und ganz vertrauen, wird die Karte uns wirklich eine Entdeckung bescheren. Dann sind wir auch dazu in der Lage, ihre symbolische Bedeutung zu erfassen. *Die zweite Grundregel des Spiels besagt, daß es im Tarot keine vorgegebenen Bedeutungen gibt. Die Antwort auf unsere Frage ist das Spiegelbild, welches das Symbol im Spiegel unseres Bewußtseins hervorruft. Dieses Spiegelbild ist aber auch die Bedeutung der Karte.*

Um diese Bedeutung klar verständlich zu machen, wenn wir für andere die Karten lesen, bitten wir den Ratsuchenden darum, seinen ersten Eindruck zu schildern: ob er die Karte anziehend oder abstoßend findet, was er daran mag oder nicht mag, welche Einzelheiten seine Aufmerksamkeit fesseln. Diese Beschreibung hilft dem Tarot-Deuter dabei, den Inhalt der Intuition des Ratsuchenden auf zusammenfassende und analoge Weise zu formulieren und die Bedeutung der Karte klar herauszuarbeiten.

Es geht also nicht um den Versuch, die Karte dadurch zu «erklären», indem man ihren Namen vorliest und aus diesem ihre Bedeutung ableitet. Tatsächlich werden wir ihre Bedeutung nur dann erfahren, wenn wir offen und empfänglich bleiben.

Sich in einer Blume verlieren

Die Therapie, die wir im Zusammenhang mit dem Rad des Schicksals empfahlen – der Derwischtanz oder das um die eigene Achse Wirbeln wie ein Kind – kann uns einmal mehr dabei helfen, die Augen zu entspannen und uns auf die Deutung vorzubereiten. Bevor wir damit beginnen, können wir uns in der Betrachtung einer Blume verlieren, dabei tief atmend, und uns des Geschnatters und der Ruhelosigkeit unseres Geistes bewußt werden.

Je länger wir die Blume betrachten, um so ruhiger wird auch unser Geist werden, bis die Pflanze uns schließlich ihre Geheimnisse offenbart.

Das gilt für die Blume, genauso aber auch für die Antworten des Tarot: Wenn wir diese erhalten, erkennen wir staunend, daß die Dinge, nach denen wir gesucht haben, schon immer da gewesen sind, direkt vor unseren Augen! Manchmal erfahren wir dabei Tatsachen, die wir viel lieber ignorieren würden, doch ist es für jeden, der mit dem Tarot spielen will, unverzichtbar, sich rückhaltlos der Wahrheit zu verschreiben.

Selbstakzeptanz fördert Bewußtsein und Heilung

Die dritte Grundregel des Spiels erfordert, ehrlich zu sein, uns selbst treu zu bleiben: unsere Gefühle zu akzeptieren, unsere Bedürfnisse, unsere Begierden und unsere Leidenschaften – und die Verantwortung für sie zu übernehmen.

Der Tarotdeuter unterstützt den Prozeß der Selbstakzeptanz beim Ratsuchenden, indem er ihm die positive Seite des gezogenen Symbols zeigt: Das ist die Therapie und der Beginn der Heilung. Mit dem Tarot können wir zu den Wurzeln unserer Probleme vorstoßen – die Großen und Kleinen Arkana weisen sowohl auf die

Frage als auch auf die Antwort, auf das Problem wie auf seine Lösung hin. Doch Ehrlichkeit reicht nicht aus, wenn wir mit dem Tarot spielen, wir müssen auch bereit sein, Risiken einzugehen und uns wirklich voll dem Spiel zu widmen. *Die vierte und letzte Regel lautet, daß der Tarot für Spieler gedacht ist; er stellt ein Spiel dar, bei dem man gewinnt, wenn man bereit ist, sich zu ändern; und wenn dabei man alles, was man ist und weiß, aufs Spiel setzt.*

Jede Karte eine dreidimensionale Bühne

Nun sollen ein paar praktische Anweisungen folgen. Nehmen Sie die Karten auf und teilen Sie sie in drei kleine Haufen: Der erste besteht aus den großen Arkana, der zweite aus den Kleinen Arkana und der dritte aus den Hofkarten.

Der erste Stapel dient dazu, Fragen über die archetypische Bedeutung unserer Erkrankung zu stellen. Wenn Sie eine Karte aufnehmen, sollten Sie im Auge behalten, daß die Autoren des vorliegenden Buchs nur einige von vielen möglichen Aspekten und Bedeutungen eines jeden Archetyps beschrieben haben und daß ihre Erklärungen der Beziehung zwischen den Archetypen und den verschiedenen Krankheitssyndromen nur als Vorschläge aufzufassen sind, als Ausgangspunkt für Ihren persönlichen Prozeß des analogen, intuitiven Verstehenlernens.

Wenn wir den Archetyp betrachten, müssen wir dem, was wir da sehen, vertrauen; wir müssen unschuldig und einfältig sein und uns daran erinnern, daß kein Buch eine Erfahrung aus erster Hand ersetzen kann. Hat sich das Arkanum erst einmal unserer Intuition offenbart, können wir es rational in Worte kleiden, indem wir es mit dem vergleichen, was bereits Teil unseres Wissens ist – nicht jedoch vorher. Am Anfang sollten wir einfach nur lauschen und spüren … Unsere Krankheit versucht, durch den Archetyp, den wir aufgenommen haben, zu uns zu sprechen; wir können uns mit geschlossenen Augen vorstellen, daß jede Karte eine dreidimensionale Bühne ist, auf der wir uns bewegen: Wir befinden uns in ihrem Innern, wir können sie berühren, sie riechen, ihre Farben wahrnehmen ...

Lassen Sie sich Zeit und nehmen Sie die Atmosphäre des Arkanums in Ihren Händen in sich auf. Sie können auch die Therapien betrachten, die wir vorgeschlagen haben, aber wenn Sie feinfühlig und mutig genug sind, können Sie auch Ihre eigenen Therapien erschaffen, experimentieren oder Spaß haben ... Spaß zu haben und kreativ zu sein, ist schon für sich genommen bereits die beste Kur.

Gebundene Interessen und Maskenspiele

Der zweite Stapel mit den Kleinen Arkana dient dazu, die Art und Weise zu bestimmen, in der wir das Phänomen namens «Krankheit» ausleben. Auf unbewußter Ebene arbeiten wir Hand in Hand mit unseren Erkrankungen, oft haben wir ein gebundenes Interesse daran, krank zu sein: Wenn wir erst einmal begreifen, auf welche Weise wir unseren Erkrankungen Energie geben, können wir auch damit beginnen, uns selbst zu heilen, indem wir unsere Einstellung und unsere Verhaltensmuster ändern. In dem Stapel mit den Kleinen Arkana können wir die Probleme und die Situationen betrachten, die wir zu vermeiden suchen – das, was uns so sehr ängstigt, daß wir lieber krank werden, als uns dagegen zu erheben und es zu bekämpfen.

Der dritte Stapel mit den Hofkarten ist ein guter Spiegel für unsere Rollenspiele, für unsere Masken, für die Persönlichkeit, mit der wir uns gegen die Krankheit und das Leben verteidigen. In den Hofkarten erkennen wir jene Aspekte unserer Psyche, deren wir uns normalerweise nicht bewußt sind, die uns aber dabei helfen könnten, die Situation zu meistern, in der wir uns befinden.

Nehmen Sie einmal zwei Karten von diesem kleinen dritten Stapel: Die erste suchen Sie sich gezielt aus, sie steht für das

Arkanum, mit dem Sie sich bewußt identifizieren. Die zweite suchen Sie dagegen aus, ohne sie vorher anzusehen; sie soll für die Wahl das Unbewußten stehen. Nun können Sie diese verschiedenen Persönlichkeiten miteinander vergleichen, sie zu Wort kommen und ihre Gründe und Bedürfnisse erklären lassen.

Mit diesen drei Kartenstapeln können wir uns selbst oder auch andere vollständig durchprüfen. So können wir beispielsweise drei große Arkana für die drei Hauptzentren unseres Körpers und unserer Seele wählen – für Kopf, Herz und Bauch –, um dann mit den Kleinen Karten und den Hofkarten eine Beziehung zu unseren Energiemustern und unserer Persönlichkeit herzustellen. Mit dem Tarot des Heilens lassen sich Hunderte von verschiedenen Spielen spielen – das hängt nur von unserer Verspieltheit und Kreativität ab.

BEISPIELE DER KARTENLEGE-TECHNIKEN: DREI FALLSTUDIEN

Erster Fall

A. M. ist ein korpulenter Mann von sechsunddreißig Jahren. Er teilt sich eine Wohnung mit seinem Bruder und verdient seinen Lebensunterhalt als Handwerker im Baugewerbe. Seit vielen Jahren leidet er unter einer schlimmen Schuppenflechte, die auch sein Gesicht befallen hat und bisher weder mit Mitteln der Schulmedizin noch mit alternativen Heilmethoden geheilt werden konnte.

Nun sitzt er vor mir, es ist seine erste Tarot-Sitzung. Ich bitte ihn, die Augen zu schließen, und setze mich in Verbindung mit seinen Gefühlen, die um dieses Problem kreisen, bevor er eine Karte nimmt. Er bekommt den Herrscher und beginnt, ihn zu betrachten.

Ich lasse ihm reichlich Zeit, um die Karte zu studieren. Dann bitte ich ihn, wieder die Augen zu schließen und sich die Karte auf dreidimensionale Weise vorzustellen, um in diese visualisierte Szene «einzutreten»; danach soll er seine entsprechenden Gefühle beschreiben.

A. M. identifiziert sich sofort mit dem HERRSCHER (Karte 1) und erzählt mir, wie unbehaglich er sich fühlt. Bei seiner «steifen» Aufsehertätigkeit ist er damit beschäftigt, seine männliche Macht zu benutzen, was ihn bedrückt und einengt. Bei der Arbeit fühlt er sich so verspannt, daß er sich überhaupt nicht bewegen kann, ja nicht einmal umdrehen kann, um nachzusehen, was hinter seinem Rücken geschieht. Deshalb, so teilt er mir mit, fühlt er sich auch immer so verunsichert, weswegen er ständig einen Panzer tragen muß. Aber eine Rüstung ist eine sehr unbequeme Last: A. M.s

Schuppenflechte sieht aus wie die zusammenbrechende Rüstung eines Herrschers, die gerade ihre Panzerplatten verliert.

Ich werfe ein, daß der Herrscher des Tarot vielleicht auch seine positiven Seiten hat, die er für die Heilung nutzen könnte. Der Herrscher ist schließlich auch ein Symbol der ursprünglichen, männlichen Energie des Tierkreiszeichens Widder, das A. M., der unter dem Zeichen Waage geboren ist, nicht so ohne weiteres akzeptieren und verstehen kann. Wie geht A. M. mit martialischer Energie um, inwieweit hat seine Schuppenflechte mit seiner Einstellung zu seiner persönlichen Macht zu tun?

Der BUBE DER STÄBE (Karte 2) gibt Antwort auf diese Frage. Als er sich vorstellt, im «Innern» dieser Karte zu stehen, und sich selbst als Bube visualisiert, erzählt A. M., daß er sich wie ein Riese in einer Zwergwelt vorkommt, der sich nicht traut, sich zu bewegen, weil er befürchtet, die ihn umgebenden Menschen damit zu verletzen. So hat er sich auch als Kind immer gefühlt: Er war zu groß für sein Alter, kam sich tolpatschig vor, und seine Verwandten und Freunde pflegten zu ihm zu sagen, daß er «zuviel des Guten» sei.

A. M. verfügt über eine mächtige Feuerenergie, die martialische Energie des Herrschers, doch in frühen Jahren hat er deswegen Schuldgefühle entwickelt; seitdem hat er sie stets unterdrückt. Der Herrscher legt als Therapie nahe, daß er dieser Energie zum Ausdruck verhelfen und den ihn einengenden Panzer bewußt ablegen solle. Doch wie soll das gehen? Wie kann er diesen Panzer loswerden? Um das zu erfahren, nimmt A. M. zwei weitere Karten, weil er erst einmal herausbekommen will, weshalb er sich überhaupt zu einem solchen Panzer entschieden hat.

Er erhält DAS GERICHT (Karte 3) und die HOHEPRIESTERIN (Karte 4).

Er hebt die erste Karte auf und sagt, daß es ihn beeindruckt, wie die Menschen aus ihren Gräbern steigen und sich nicht davor fürchten, ihre nackten

Leiber dem Urteil des Engels auszuliefern. Er fügt hinzu, daß er sich schon immer wegen seines großen Körpers schämte und versuchte, ihn zu verbergen, und nun gibt ihm seine Schuppenflechte einen weiteren Grund zur Verlegenheit: Er fühlt sich noch häßlicher als vorher, kommt sich vor wie ein Leprakranker …

In der zweiten Karte sieht er sich selbst als Kind auf dem Mond zu Füßen der Hohenpriesterin, wie er sich zu ihr neigt und von der weiblichen Gestalt akzeptiert werden will, die doch wegen ihrer Vollkommenheit und Reinheit so unerreichbar zu sein scheint. Er fühlt sich ihrer unwürdig, kommt sich zu grobschlächtig und zu unrein vor.

Ich bitte ihn, eine weitere Karte aus dem Stapel mit den Großen Arkana zu nehmen, als letzten Hinweis des Tarot, um diese auf einer archetypischen Ebene zu deuten. A. M. nimmt DIE KRAFT (Karte 5) und denkt sofort an seinen Herzenswunsch, nämlich eine Ausbildung als Rebalancer zu absolvieren.

Beim Rebalancing handelt es sich um eine Körperarbeitstechnik, die mittels Tiefenmassage und Atmung darauf abstellt, Muskelverspannungen zu lösen und die Gefühle freizusetzen, die zu diesen Verspannungen gehören. Ein Rebalancer muß sehr stark sein und über viel Energie verfügen, um den engen Panzer tiefsitzender Muskelverspannungen zu lösen, den wir alle mit uns schleppen.

A. M. würde gern an einer Gruppenausbildung teilnehmen, um seinen Körper einer liebevollen Berührung auszusetzen und um zugleich zu lernen, seine Energie auf die Heilung anderer zu lenken. Er möchte sowohl der gestreichelte Löwe als auch die Frau sein, die ihn streichelt, sagt er.

Seitdem sind zwei Jahre vergangen. A. M. arbeitet inzwischen als Rebalancing-Trainer und fühlt sich von seinem Beruf sehr ausgefüllt. Mit der Zeit ist auch seine Schuppenflechte verschwunden.

Zweiter Fall

S. B. ist eine neunundvierzigjährige Frau. Sie ist Schullehrerin, geschieden, lebt allein und hat zwei erwachsene Töchter, die ebenfalls allein leben. Sie leidet seit vielen Jahren unter Asthma: Ihre Krankheit bereitet ihr sehr viel Sorgen, und sie hat schon alles mögliche versucht, um sie auszuheilen, doch ohne Erfolg.

S. B. nimmt den TEUFEL (Karte 6) aus dem Stapel mit den Großen Arkana. Als ich sie bitte, die Karte zu visualisieren und sich vorzustellen, daß sie sich in ihrem Innern befindet, erklärt S. B., daß das ein erstickendes Gefühl auslöst: Sie befindet sich in einer grauen Eisenröhre, in der es dunkel ist, und kann kaum noch atmen. Die Luft ist voller Schwefeldampf, vermischt mit Weihrauch, und sie kann zwar in der Ferne den Ausgang sehen, das Licht und die frische Luft, weiß aber zugleich, daß es zu weit entfernt für sie ist, um es dorthin zu schaffen.

Der Archetyp des Teufels weckt in S. B.s Psyche viele Erinnerungen und Assoziationen. Am meisten ragt dabei das Erinnerungsbild von sich selbst als Kind heraus, wie sie allein in ihrer Wiege liegt. Sie kommt aus einer ländlichen, patriarchalen Familie, wo alle ständig beschäftigt waren und niemand Zeit für sie hatte. Sie weint, doch niemand schenkt ihr Beachtung. Am Ende kommt zwar jemand vorbei, doch nur, um ihr zu sagen, daß der Teufel sie holen wird, wenn sie nicht sofort still ist.

Und der Teufel kommt tatsächlich, nämlich aus den Schatten in ihren Zimmerecken: Er ist zwar furchteinflößend, leistet ihr dafür aber wenigstens Gesellschaft. Im Teufel erkennt S. B. ihren Sex-Appeal und ihren Versuch, andere zu beherrschen und zu «besitzen», um von ihnen geliebt und akzeptiert zu werden. S. B. weiß, daß sie andere braucht, um ihre eigene Einsamkeit zu lindern: ein Schmerz, ein schwarzes Loch, das sie zwischen ihren Brüsten spürt. Doch sie hat auch das Gefühl, daß sie kein Recht hat, darum zu bitten: Das ist teuflisch, es ist Sünde, und so kann sie lediglich die Schuldgefühle anderer ausbeuten, um nicht im Stich gelassen oder allein gelassen zu werden.

Der Archetyp des Teufels schlägt auch zugleich die Therapie vor: Sie muß ihr Bedürfnis einfach hinnehmen, wie es ist, ohne es zu verurteilen, aber auch ohne in der Gegend herumzulaufen und es zu dramatisieren. Sie muß erkennen, daß es sich bei diesem Bedürfnis um etwas sehr Altes handelt, das sie schon ihr ganzes Leben lang konditioniert. Die einzige Möglichkeit, damit zurechtzukommen, besteht darin, mit ihrem Partner darüber zu sprechen und ihn darum zu bitten, ihr bei einer ganz einfachen therapeutischen Technik zu helfen: eine totale Umarmung, ohne Zeitbegrenzung, eine Umarmung, in der sie atmen, loslassen und ihre Angst auflösen kann. Ihr Asthma ist nur ein Hilfeschrei, eine versteckte Bitte: Es kündet von ihrer Furcht, *nicht* von Luft und von Leben erfüllt zu werden. Wegen dieser Furcht klammert S. B. sich an die Luft, die sie bekommen kann, und diese Luft wird zu jenem erstickenden Schwefeldampf, den sie in der Röhre des Teufels einzuatmen pflegte.

Natürlich stellt es ein Risiko dar, jemanden um Hilfe zu bitten: Ihr Partner könnte nein sagen oder ihr eine Abfuhr erteilen. Doch schon das bloße Fragen, egal was er antworten wird, wäre bereits ein Akt der Liebe gegenüber sich selbst – ein Akt der Liebe, der sie heilen, der den Schmerz und das schwarze Loch auskurieren könnte, die sie in ihrem Innern spürt.

S. B. nimmt nun zwei weitere Karten auf: eine aus dem Stapel mit den Hofkarten, die andere aus dem der Kleinen Arkana. Sie will nämlich wissen, wie sie diesen therapeutischen Prozeß in ihr Alltagsleben einbauen kann. Sie erhält den BUBEN DER STÄBE (Karte 7) und die DREI DER STÄBE (Karte 8).

Kein Zweifel, S. B. ist eine vielbeschäftigte Frau: Neben ihrem Beruf engagiert sie sich auch noch in vielen anderen Projekten und Aktivitäten. Ihr Problem besteht darin, daß sie das nicht aus freiem Willen tun kann, sondern nur aus Angst, aus einem neurotischen Verlangen heraus, geliebt und akzeptiert zu werden: Deshalb fühlt sie sich davon auch nicht erfüllt, sondern ausgelaugt, nämlich so, *als würde sie keine Luft mehr bekommen.*

Die Karten, die sie genommen hat, sind allesamt Feuerkarten, sie enthalten die Energie des «Tuns». Und doch sind die Gestalten darin still, sie rennen nicht planlos umher: Sie stehen einfach in Verbindung zu dieser Energie, nehmen sie wahr, meistern sie und werden nicht von ihr bemeistert. Das ist auch die Einstellung, die der Tarot empfiehlt: eine Art des Tuns, die mehr ist als nur ein schlichtes Herumrennen, mehr als die Flucht vor der Krankheit und die Flucht in diese. Yang-Energie ist sehr schön, wenn sie sich in freies und zielssicheres Tun verwandelt: Für S. B. stellt sie auch die beste erdenkliche Therapie dar – eine Möglichkeit, die vergiftete Atmosphäre des Teufels zu verlassen und sich um ihre eigenen Bedürfnisse zu kümmern.

Dritter Fall

G. A. ist sechsundvierzig Jahre alt, Architekt, verheiratet, zwei Kinder. Er verdient zwar recht gut, würde aber lieber noch mehr machen und ist auch nicht so erfolgreich, wie er es gern wäre. Er leidet seit vielen Jahren unter Gastritis. Bisher hat er seine Krankheit mit normalen Pharmaka in Schach gehalten, wie sie meistens in solchen Fällen verschrieben werden.

Wir beschließen, einmal den Zustand seiner drei Hauptenergiezentren zu überprüfen: Kopf, Herz und Bauch. Der Tarot beschert uns folgende «Röntgenaufnahme»:

Der Kopf
(Karten 9, 10, 11)

G. A. ist Architekt: Keines der Großen Arkana könnte seine Begabung für materielle Kreativität besser verkörpern als der MAGIER (Karte 9). Doch wird seine Fähigkeit, seine Projekte auch in die Praxis umzusetzen, die hier von der NEUN DER STÄBE (Karte 10) dargestellt ist, durch das strenge Urteil eines überkritischen Geistes (die KÖNIGIN DER SCHWERTER, Karte 11) eingeengt, was ihm, wie mir G. A. erzählt, auch häufig ziemlich schlimme Kopfschmerzen beschert.

Das Herz
(Karten 12, 13, 14)

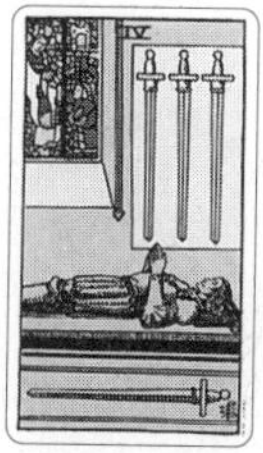

G. A.s Herz strebt nach GERECHTIGKEIT (Karte 12), nach unparteiischen Emotionen und ausgewogenen Gefühlen. Diese Neigung ist typisch für die Waage, G. A.s astrologisches Tierkreiszeichen. Doch stellt man Gleichmut nicht dadurch her, daß man zuläßt, daß ein kritischer Verstand das Herz beherrscht. Wenn wir das versuchen, wenn wir unseren Gefühlen das Schwert des Gerichts aufzwingen, verwandelt sich das Herz in einen Friedhof (VIER DER SCHWERTER, Karte 13), selbst wenn es sich dabei um das heilige Schwert der Gerechtigkeit handelt.

Glücklicherweise ist G. A. aber auch ein sehr warmherziger und großzügiger Mensch. Im Familienleben weiß er seine Herzensgüte mit den Menschen in seiner Umgebung zu teilen (BUBE DER KELCHE, Karte 14), dort kann er seine Gefühle auf liebevolle und spontane Weise ausleben.

Der Bauch
(Karten 15, 16, 17)

In G. A.s Bauch befindet sich ein schönes, unschuldiges und verspieltes Kind (DIE SONNE, Karte 15). Es ist begierig darauf, seine Verspieltheit, seine Sandburgen in der Welt zu materialisieren (DREI DER MÜNZEN, Karte 16), doch selbst hier finden wir noch ein Schwert: Es gehört dem BUBEN DER SCHWERTER (Karte 17) – ein Symbol für eine Geisteshaltung, die ihn sehr vorsichtig macht und ihm den Willen raubt, seinen Gefühlen Ausdruck zu verleihen.

Die Gastritis
(Karten 18, 19, 20)

Als er sich im Innern der Karte des HERRSCHERS befindet, berichtet G. A., daß die dunkle, rötliche Farbe der Karte ihn beunruhigt. Der massive steinerne Thron gibt ihm ein Gefühl der Schwere, und ihm mißfällt das autoritäre und herrische Aussehen des HERRSCHERS (Karte 18): Sein tiefsitzendes Gefühl für Gerechtigkeit hat immer dazu geführt, daß er sich auf die Seite der Gedemütigten schlug. Er sagt, daß er sich als Bootsmann in der SECHS DER SCHWERTER (Karte 19) sieht: als bescheidener Mensch voller Probleme, der jeden Tag durch den großen Strom des Lebens waten muß.

Mehr als dieser erschöpfte Bootsmann gefällt G. A. allerdings die KÖNIGIN DER MÜNZEN (Karte 20). Als er sie betrachtet, hat er dasselbe Gefühl des Wohlbehagens wie beim Ausruhen in seinem Lehnsessel, oder wenn er einfach nur die Hand auf den Bauch legt, um die Schmerzen seiner Gastritis zu lindern.

Indem er dies tat, hat G. A. bereits intuitiv eine Art Therapie für seine Gastritis gefunden: Sie besteht darin, sich zu entspannen und eine Verbindung zu seinem eigenen Körper wie auch zu seinen Gefühlen und Emotionen herzustellen. Wenn er in seinem Lehnsessel sitzt, fahren die Sorgen seines Alltags auf dem Boot der SECHS DER SCHWERTER davon, doch das allein ist nur eine Behandlung von Symptomen.

G. A.s wirkliches Problem ist das Übermaß an Yang-Energie, das auf seinem Magen lastet. Es ist das Gewicht und die Aggessivität seines unterdrückten HERRSCHERS, der seinem Magen so lange zusetzen wird, bis er eine bessere Möglichkeit gefunden hat, sich auszudrücken. Wenn er dieses Problem lösen will, wird G. A. die überschüssige Luftenergie ausgleichen müssen, die Macht seines kritischen Verstands, die seine Kreativität einengt, wie wir ja auch schon bei der Betrachtung der Schwerter in seinen Energiezentren festgestellt haben.

Der Bube der Kelche und die Königin der Münzen, eine Wasser- und eine Erdkarte, weisen die richtige Richtung: G. A. wird großen Nutzen aus jeder Therapie ziehen, die eine Brücke zwischen seinem Körper (dem Element Erde) und seinen Gefühlen und Emotionen (dem Element Wasser) schlägt. Seine Gastritis wird ausheilen, wenn er dazu in der Lage ist, die Furcht, die Trauer und den Zorn in seinem Herzen auszudrücken und die positiven Seiten des HERRSCHERS, der er innerlich selbst ist, zu erkennen und auch auszuleben.

DAS RITUAL DER THERAPIE

In unserer abendländischen Kultur wurde Heilung jahrhundertelang, ja bis heute durch symbolische Rituale hergestellt. Die Handlungen in einem Ritual werden mit einer derartig vollkommenen Bewußtheit ausgeführt, daß sie dadurch geheiligt und mit großer Energie geladen werden: eine Energie, die vollkommen verlorengeht, wenn wir einfach nur hastig und mechanisch irgendeine Pille herunterschlucken.

Die hier beschriebenen Kartenlegetechniken sind *symbolische Rituale* therapeutischer Art: Durch die Deutungen und durch das Spiel des Tarot und seiner Symbole haben wir die Krankheit und ihre Symptome in ein Ritual des Wissens und der Heilung eingebunden.

Wie wir bei der Beschreibung der Großen Arkana gesehen haben, können auf das erste Erahnen der symbolischen Natur der Krankheit viele weitere wichtige Schritte folgen: die Suche nach einer anderen «Gestalt»; die Affirmationen, mit denen wir unsere unbewußten Glaubenssätze verändern können; die natürlichen Heilmittel der Blüten- und Phytotherapie, die Energie der Edelsteine … Damit wollen wir aber nicht behaupten, daß ein Ritual zwingend sämtliche dieser Elemente umfassen muß: Im Gegenteil, je mehr wir es auf unsere persönliche Befindlichkeit zuschneiden und je ungehinderter wir uns dabei fühlen, es an unsere jeweiligen Bedürfnisse und Intuitionen anzupassen, um so wirkungsvoller wird es sein.

Nehmen wir als Beispiel den Fall S. B. Die Änderung der «Gestalt» (im Sinne der Gestalttherapie), derer sie bedarf, besteht darin, einen größeren Einklang mit ihren eigenen emotionalen Bedürfnissen und weniger mit den Bedürfnissen anderer herzustellen, die sie unbewußt für die eigenen hält, um sie aus Furcht vor dem Verlassenwerden zu kontrollieren. Was die Blütentherapie betrifft, so paßt Chicory am besten zu ihrer pyschologischen Situation, während Black Currant (Schwarze Weinbeere), Lobelia (Lobelie) und Viburnum (Schneeball) sehr wirksame Heilmittel aus der Phytotherapie sind, mit denen sie ihr Asthma behandeln kann. Und ein Rosenquarz kann sie daran erinnern, daß das Leben sie sowieso liebt, während ein Türkis ihre Angstbeklemmung lindert und ihren Atemapparat stärkt.

S. B. hat diese Elemente im folgenden täglichen Ritual zusammengefaßt, das auch sofort positive Ergebnisse zeitigte:

1) Als allererstes nimmt sie morgens nach dem Aufstehen eine Dusche, was sie als symbolische Reinigung nach ihrer beschwerlichen Atmung in der Nacht empfindet. Nach dem Duschen nimmt sie ihre phytotherapeutischen Heilmittel ein.

2) Nun setzt sie sich eine halbe Stunde in ihren Armsessel, anstatt sich sofort in das Durcheinander der vielen tausend Dinge zu stürzen, die sie alle erledigen muß. Sie nimmt sich die Zeit, sich zu entspannen und den Kontakt zu ihrer Beklemmung aufzunehmen, mit jenem Klumpen in ihrem Magen, der ihr die Luft abzuwürgen droht. Sie löst beide nach und nach auf, bis die Atmung ruhig und unbeschewrt geworden ist.

3) Jetzt ist sie bereit, trotz ihrer neurotischen Abhängigkeit von anderen nein zu sagen, die Verantwortung für ihre wirklichen Alltagsbedürfnisse zu übernehmen und auch die Energie zu finden, die sie benötigt, um ihnen gerecht zu werden. Ihre Morgenmeditation endet mit vier Tropfen Chicory: eine symbolische «Kommunion» mit ihrer Energie, die ihr dazu dienen soll, die Entscheidungen, die sie den ganzen Tag über zu treffen hat, mit Beharrlichkeit anzugehen.

4) Während des Tages unterbricht S. B. ihre gesamten Aktivitäten für mindestens eine Minute: die Zeit, die sie braucht, um zu erkennen, was sie da gerade tut, in welchem psychologischen «Raum» sie sich aufhält, und um mit Chicory eine erneute Verbindung dazu herzustellen.

5) In der Nacht wiederholt S. B. ihr Morgenritual. Um den Hals trägt sie einen Rosenquarz und einen Türkisanhänger, die sie bei ihren Morgen- und Abendmeditationen in den Händen hält.

DIE HEILMITTEL DER GROSSEN ARKANA (ZUSAMMENFASSUNG)

0 Der Narr

Essenzen:

Bachblüten:

Clematis (weisse Waldrebe); Cherry Plum (Kirschpflaume); Rock Water (Quellwasser); Scleranthus (einjähriger Knäuel)

Phytotherapie:

- Avena sat. (Hafer); Panax ginseng (Ginseng)
- Hypericum perf. (Johanniskraut); Thymus (Thymian)
- Eschscholtzia calif. (Eschscholtzie); Passiflora inc. (Passionsblume)
- Equisetum (Schachtelhalm)
- Salvia off. (Salbei); Echinacea (Sonnenhut)

Edelsteine:

Rauchquarz; Pyrit

I Der Magier

Essenzen:

Bachblüten:
Olive (Olive)

Kalifornische Blüten:
Blackberry (Brombeere); Dill (Dill); Selfheal (kleine Braunelle); Startulip (Katzenohr)

Phytotherapie:
- Thymus (Thymian); Hyssopus off. (Ysop); Inula helenium (Alant); Tussilago farf. (Huflattich); Verbascum (Königskerze)
- Avena sat. (Hafer); Matricaria cham. (Kamille); Passiflora inc. (Passionsblume); Melissa off. (Melisse); Chelidonium (Schöllkraut); Valeriana off. (Baldrian); Eleutherococcus (sibirischer Ginseng)
- Arctium lappa (Klette); Morus nigra (Maulbeere); Mentha pip. (Pfefferminz); Cynara scolymus (Artischocke); Taraxacum off. (Löwenzahn)

Edelsteine:
Rutilquarz; Smaragd; Chrysolith

II Die Hohepriesterin

Essenzen:

Bachblüten:

Crab Apple (Holzapfel); Rock Water (Quellwasser); Water Violet (Sumpfwasserfeder)

Kalifornische Blüten:

Sticky Monkeyflower (Gauklerblume); Manzanita (Bärentraube); Sunflower (Sonnenblume); Startulip (Katzenohr)

Phytotherapie:

- Salvia off. (Salbei); Calendula off. (Ringelblume); Artemisia vulg. (Beifuß); Alchemilla vulg. (Frauenmantel); Achillea mill. (Schafgarbe); Ruta grav. (Weinraute)
- Arctostaphylos uva-ursi (Bärentraube); Vaccinium myrt. (Heidelbeere)
- Epilobium (Weidenröschen); Sequoia gig. (Riesen-Mammutbaum)
- Turnera aphrod. (Damiana); Satureja (Kölle)
- Angelica arch. (Engelwurz); Gentiana lutea (gelber Enzian); Trigonella foenum graecum (Bockshornklee)

Edelsteine:

Amethyst; Mondstein

III Die Herrscherin

Essenzen:

Bachblüten:

Agrimony (Odermennig); Rock Rose (gelbes Sonnenröschen)

Kalifornische Blüten:

Manzanita (Bärentraube)

Phytotherapie:

- Salvia off. (Salbei)
- Feuer-Pflanzen: Allium sat. (Knoblauch); Laurus nobilis (Lorbeer); Angelica arch. (Engelwurz); Crataegus (Weißdorn); Allium cepa (Zwiebel); Raphanus sat. (Rettich); Urticaria urens (kleine Brennessel); Rosmarinus off. (Rosmarin); Capsicum (spanischer Pfeffer); Taraxacum off. (Löwenzahn)
- Wasser-Pflanzen: Arctium lappa (Große Klette); Betula alba (Birke); Spirea ulmaria (Mädesüß); Hieracium pilosella (kleines Habichtskraut); Solidago virg. (Goldrute)
- Luft-Pflanzen: Lavandula (Lavendel); Mentha pip. (Pfefferminz); Thymus (Thymian); Valeriana off. (Baldrian)
- Erd-Pflanzen: Symphitum off. (Beinwell); Equisetum (Schachtelhalm)

Edelsteine:

Amethyst; Chrysocoll; Chalcedon

IV Der Herrscher

Essenzen:

Bachblüten:

Vine (Weinrebe); Cherry Plum (Kirschpflaume)

Kalifornische Blüten:

Borage (Borretsch); Scarlet Monkeyflower (Gauklerblume); Sunflower (Sonnenblume)

Phytotherapie:

- Crataegus (Weißdorn); Tilia (Linde)
- Rosmarinus off. (Rosmarin); Salvia off. (Salbei)
- Urticaria urens (kleine Brennessel); Spirea ulmaria (Mädesüß); Fraxinus exelsior (Esche)
- Ribes nigrum (schwarze Johannisbeere); Echinacea (Sonnenhut)
- Elicrisum italicum

Edelsteine:

Chrysopas; Aventurin; Granat

V Der Hohepriester

Essenzen:

Bachblüten:

Chicory (Wegwarte); Crab Apple (Holzapfel)

Kalifornische Blüten:

Sagebrush (Wermut)

Phytotherapie:

- Cynara scolimus (Artischocke); Allium sat. (Knoblauch); Olea eur. (Olivenbaum); Chelidonium (Schöllkraut); Fumaria off. (Erdrauch); Betula alba (Birke); Gentiana (Enzian)
- Agropyrum repens (Quecke); Equisetum (Schachtelhalm); Rubia tinct. (Krappflanze); Arctostaphilos uva-ursi (Bärentraube)
- Pneumus boldus (Boldo); Chelidonium (Schöllkraut); Raphanus sat. (Rettich); Fumaria off. (Erdrauch)
- Corylus avel. (Haselknospen)
- Viburnum lantana (Schneeball-Knospen); Sambucus nigra (Holunder); Inula helenium (Alant); Hyssopus off. (Ysop)

Edelsteine:

Bergkristall; Azurit

VI Die Liebenden

Essenzen:

Bachblüten:

Holly (Stechpalme); Water Violet (Sumpfwasserfeder)

Kalifornische Blüten:

Morning Glory (Purpurwinde)

Phytotherapie:

- Fraxinus exelsior (Esche); Fumaria off. (Erdrauch); Fucus vescic. (Kelp); Arctium lappa (Klette); Solidago virg. (Goldrute); Ribes nigrum (schwarze Johannisbeere); Spirea ulmaria (Mädesüß); Zea mays (Mais)
- Galega off. (Geissraute); Morus nigra (Maulbeere); Inula helenium (Alant); Juglans regia (Walnußblüten)

Edelsteine:

Rosenquarz; Sugilit

VII Der Wagen

Essenzen:

Bachblüten:

Larch (Lerche) und ihr Gegenstück: Oak (Eiche); Olive (Olive)

Kalifornische Blüten:

Madia (Ölmadie); Dill (Dill); Nasturtium (grosse Kapuzinerkresse); Chamomile (stinkende Hundskamille)

Phytotherapie:

- Tilia (Linde); Avena sat. (Hafer)
- Tilia (Linde); Ficus carica (Feigenknospen); Althea off. (Eibisch)
- Harpagophytum proc. (Teufelkralle); Equisetum (Schachtelhalm); Abies pect. (Weißtanne)

Edelsteine:

Citrin

VIII Kraft

Bachblüten:

Aspen (Zitterpappel); Rock Water (Quellwasser); Star of Bethlehem (goldiger Milchstern)

Phytotherapie:

- Tilia (Linde) Lythrum salic. (Felberich); Chelidonium (Schöllkraut); Vaccinium vitis-idea (Preiselbeere)
- Salvia off. (Salbei); Achillea mill. (Scharfgarbe); Calendula off. (Ringelblume); Matricaria cham. (Kamille)
- Artemisia vulg. (Beifuß)
- Ruscus aculeatus (Mäusedorn); Hieracium pilosella (kleines Habichtskraut); Spirea ulmaria (Mädesüß); Taraxacum off. (Löwenzahn); Vaccinium myrt. (Heidelbeere)

Edelsteine:

Goldtopas

IX Der Eremit

Essenzen:

Bachblüten:

Water Violet (Sumpfwasserfeder); Rock Water (Quellwasser)

Phytotherapie:

- Betula alba (Birke); Fraxinus exelsior (Esche); Spirea ulmaria (Mädesüß); Ribes nigrum (schwarze Johannisbeere); Salix alba (Weide)
- Raphanus sat. (Rettich); Zingiber off. (Ingwer)
- Salvia off. (Salbei); Rosmarinus off. (Rosmarin)
- Equisetum (Schachtelhalm); Vinca minor (Immergrün); Ginkgo biloba (Ginkgobaum)

Edelsteine:

Rubin

X Das Rad des Schickals

Essenzen:

Bachblüten:

Chestnut Bud (Rosskastanienknospe); White Chestnut (weisse Kastanie); Scleranthus (einjähriger Knäuel)

Phytotherapie:

- Salvia off. (Salbei)
- Thymus vulg. (Thymian); Mentha pulegium (Poleiminze
- Crataegus (Weißdorn); Tilia (Linde); Myrtus comm. (Myrte); Pinus mugo (Bergkiefernknospen)
- Sambucus nigra (Holunder); Polypodium vulg. (Tüpfelfarn)

Edelsteine:

(Reiner) Bergkristall

XI Gerechtigkeit

Essenzen:

Bachblüten:

Scleranthus (einjähriger Knäuel); Mustard (Ackersenf)

Phytotherapie:

- Solidago virg. (Goldrute); Arctium lappa (Klette), Fraxinus exelsior (Esche)
- Salvia off. (Salbei); Rosmarinus off. (Rosmarin); Berberis vulg. (Sauerdorn); Apium grav. (Sellerie)

Edelsteine:

Turmalinquarz; Aquamarin; blauer Topas

XII Der Gehängte

Essenzen:

Bachblüten:

Gentian (bitterer Enzian); Oak (Eiche); Impatiens (drüsentragendes Springkraut)

Kalifornische Blüten

Penstemon (Bartfaden); Sagebrush (Wermut)

Phytotherapie:

- Citrus aur. (Orangenblüten); Crataegus (Weißdorn); Matricaria cham. (Kamille); Salix alba (Weide); Tilia (Linde); Valeriana off. (Baldrian)
- Salix alba (Weide); Fraxinus exelsior (Esche); Harpagophytum (Teufelskralle); Spirea ulmaria (Mädesüß)

Edelsteine:

Sugilit

XIII Tod

Essenzen:

Bachblüten:

Crab Apple (Holzapfel); Mimulus (gefleckte Gauklerblume); Walnut (Walnuss)

Phytotherapie:

- Taraxacum off. (Löwenzahn); Rhamnus frangula (Faulbaum); Sambucus nigra (Holunder)
- Cynara scolymus (Artischocke); Pilosella; Fraximus exelsior (Esche)
- Lythrum salic. (Felberich); Solidago virg. (Goldrute); Arbutus unedo (Erdbeerbaum); Arctostaphilos uva-ursi (Bärentraube)
- Arctium lappa (Klette); Viola tricolor (Veilchen); Juglans regia (Walnußblüten)

Edelsteine:

Amethyst

XIV Mäßigkeit

Essenzen:

Bachblüten:

Clematis (weisse Waldrebe); Scleranthus (einjähriger Knäuel)

Kalifornische Blüten:

Iris (Schwertlilie)

Phytotherapie:

- Vitex agnus-castus (Keuschlamm); Crataegus (Weißdorn); Primula off. (Schlüsselblume); Passiflora inc. (Passionsblume); Vinca minor (Immergrün); Valeriana off. (Baldrian); Verbena off. (Eisenkraut)
- Ampelopsis weitchii; Ribes nigrum (schwarze Johannisbeere); Pinus mugo (Bergkiefernknospen), Vitis vinifera (Weinknospen); Vaccinium vitis-idea (Preiselbeeren); Rubus fruticosus (Brombeeren); Betula alba (Birke); Equisetum (Schachtelhalm)

Edelsteine:

Heliodor; Gelber Kalzit; Diamant

XV Der Teufel

Essenzen:

Bachblüten:

Holly (Stechpalme); Vine (Weinrebe)

Kalifornische Blüten:

Scarlet Monkeyflower (Gauklerblume)

Phytotherapie:

Galium aparine (Klebkraut); Viola odorata (Märzveilchen); Polypodium vulg. (Tüpfelfarn); Pinea excelsa (Prachttanne); Viscum album (Mistel); Allium sat. (Knoblauch); Juglans regia (Walnußblüten), Laurus nobilis (Lorbeer); Boxus sempervirens (Gemeiner Buchsbaum)

Edelsteine:

Rauchquarz; Quarzklumpen

XVI Der Turm

Essenzen:

Bachblüten:

Beech (Buche); Water Violet (Sumpfwasserfeder)

Phytotherapie:

- Harpagophytum proc. (Teufelskralle)
- Matricaria cham. (Kamille); Polygonum bistorta (Wiesenknöterich); Calendula off. (Ringelblume)); Phytolacca (Kermesbeere); Abies pect. (Weißtanne), Equisetum (Schachtelhalm); Thymus (Thymian)
- Sambucus nigra (Holunder); Spirea ulmaria (Mädesüß); Salix alba (Weide); Ribes nigrum (schwarze Johannisbeere); Echinacea (Sonnenhut)
- Hamamelis virg. (Zaubernuss); Aesculus hippocastanum (Roßkastanie); Cupressus semp. (Zypresse); Viola tricolor (Veilchen); Arctium lappa (Klette); Fumaria off. (Erdrauch)

Edelsteine:

Bergkristall; Türkis

XVII Der Stern

Essenzen:

Bachblüten:

Chicory (Wegwarte); Heather (schottisches Heidekraut); Centaury (Tausendgüldenkraut)

Phytotherapie:

- Agrimonia eupat. (Odermennig); Borago off. (Borretsch); Matricaria cham. (Kamille); Melissa off. (Melisse); Tilia (Linde); Betula alba (Birke); Passiflora inc. (Passionsblume); Solidago virg. (Goldrute)
- Achillea mill. (Schafgarbe); Capsella bursapastoris (Hirtentäschel)
- Polygonum bistorta (Wiesenknöterich); Vaccinium myrt. (Heidelbeere)

Edelsteine:

Saphir

XVIII Der Mond

Essenzen:

Bachblüten:

Cherry Plum (Kirschpflaume); Agrimony (Odermennig)

Kalifornische Blüten:

Fuchsia (gekreuzte Fuchsie); Scarlet Monkeyflower (Gauklerblume)

Phytotherapie:

- Ficus carica (Feigenknospen); Tilia (Linde); Calendula off. (Ringelblume); Matricaria cham. (Kamille)
- Artemisia vulg. (Beifuß)
- Sequoia gig. (Riesen-Mammutbaum); Epilobium angustifolium
- Trigonella foenum graecum (Bockshornklee), Salvia off. (Salbei); Satureja (Kölle)

Edelsteine:

Mondstein; Smaragd

XIX Die Sonne

Essenzen:

Bachblüten:

Centaury (Tausendgüldenkraut); Cerato (Bleiwurz); Gorse (Stechginster); Larch (Lerche)

Kalifornische Blüten:

Sunflower (Sonnenblume), Borage (Borretsch)

Phytotherapie:

- Hypericum perf. (Johanniskraut); Arnica montana (Arnika); Rosmarinus off. (Rosmarin); Thymus (Thymian), Coriandrum sat. (Koriander)
- Crataegus (Weißdorn); Rosmarinus off. (Rosmarin); Salvia off. (Salbei)
- Angelica arch. (Engelwurz); Echinacea (Sonnenhut)

Edelsteine:

Sonnenstein; Gold

XX Das Gericht

Essenzen:

Bachblüten:

Star of Bethlehem (goldiger Milchstern); Sweet Chestnut (Edelkastanie); Walnut (Walnuss)

Kalifornische Blüten:

Sagebrush (Wermut)

Phytotherapie:

- Pinus silvestris (Kiefer); Populus nigra (Schwarzpappel); Hedera helix (Efeu); Vinca minor (Immergrün); Verbena off. (Eisenkraut), Centaurium erythraea (Tausendgüldenkraut); Ajuga reptans (Günsel)

Edelsteine:

Jaspis

GLOSSAR

Alexander-Technik

Technik der Integration von Körper und Seele nach F. M. Alexander; zielt auf das Erkennen von Muskelverspannungen ab, die durch falschen Umgang mit dem Körper als Reaktion auf äußere Reize entstanden sind. Erhöht das Bewußtsein um die Körperbewegungen und fördert den schwerelosen Gebrauch der Kopfmuskulatur durch Gedankeninduktion.

Anti-Gymnastik

Technik der Körperarbeit nach T. Berth; arbeitet mit den tiefersitzenden Körperverspannungen zur Entkrampfung des gesamten Körpers.

Asana

Sanskrit-Begriff, bezeichnet: Körperhaltung, beispielsweise die Körperhaltungen oder Asanas im Hatha Yoga.

Bates Methode

Sehschulung nach W. H. Bates, beruhend auf einem bewußteren Umgang mit den Augenbewegungen und der Entspannung der Kopf- und Hals-Wirbel-Muskulatur.

Bioenergetik

Technik der Integration von Körper und Seele, nach Wilhelm Reich, welche mit der Beziehung zwischen Körperstruktur und Verhalten arbeitet. Sie stellt einen «Schlüssel» zum Verstehen des eigenen Körpers zur Verfügung und bietet darüber hinaus psychophysische Übungen, die einen Kontakt zwischen den Körperverspannungen und den für diese verantwortlichen Emotionen herstellen sollen.

Chi

Lebensenergie, Lebenskraft

Ericson Hypnose

beeinflußt von den Arbeiten M. Ericsons. Das Unbewußte wird hier als großes Reservoir schöpferischer Ressourcen aufgefaßt, welche Transformationen ermöglichen, die der bewußte Verstand allein nicht vollbringen könnte. In der Ericson Hypnose wird die hypnotische Suggestion dazu genutzt, den Zugang zur unbewußten Kreativität zu erleichtern.

Eutonie

Integrationstechnik für Körper und Seele, entwickelt von dem Dänen G. Alexander, die darauf abstellt, das Bewußtsein um die Körperbewegungen und die damit verbundenen psychischen Mechanismen zu entwickeln.

Gestalt (-Therapie)

Form der Psychotherapie, die die Beziehung zwischen dem einzelnen und seiner Umgebung hervorhebt und sich damit befaßt, wie ein gesunder Organismus seine Bedürfnisse befriedigt. Pathologie (Krankheit) besteht aus der Zerstörung dieser natürlichen Beziehung. Die Gestalttherapie verhilft dem Individuum dazu, zu einer natürlichen Beziehung zu sich selbst und anderen zurückzufinden.

Gral

Name des Kelchs, in dem das Blut Jesu am Kreuz aufgefangen worden sein soll. Der Legende nach wurde er durch Joseph von Arimatea ins Abendland gebracht und ist danach verschollen. Die Artusritter kämpften darum und suchten im Zuge ihrer Abenteuer nach ihm. Gilt als Symbol der Unsterblichkeit und der Wahrheit.

Körperarbeit

bezeichnet eine Vielzahl therapeutischer Techniken, darunter Atem- und Bewegungstherapie, Oberflächen- und Tiefenmassage sowie Meditation.

Lachmeditation

vor kurzem in den USA entwickelte Krebstherapie: Die Technik besteht darin, ganz einfach so herzlich zu lachen, wie es nur geht. Zu Anfang mag einem dieses Lachen etwas gequält vorkommen, doch mit etwas Beharrlichkeit wird es zu etwas völlig Natürlichem. Dann sind auch die positiven Einflüsse dieser Methode auf Stimmungslage und Lebensqualität zu bemerken. Diese Meditation sollte morgens durchgeführt werden, solange man noch frisch ist und die Tagesaktivitäten einen noch nicht ablenken konnten.

Mezières (Technik)

Körperhaltungstechnik von F. Mezières, beruhend auf der Ausdehnung der Rückenmuskulatur des Körpers durch Atmung.

NLP

Neuro-linguistisches Programmieren: Diese Technik transformiert Sinn und Wahrnehmungswirkung einer zu ändernden Situation durch Modifizieren der Umgangsweise und des Denkmusters, mit denen eine Person verschiedene Situationen «repräsentiert», sie also mit Sinn belegt.

Rebirthing

Atemtechnik, die einen Zugang zu tiefsitzenden Gefühlsschichten herstellt, die mit Erfahrungen aus der frühen Kindheit oder sogar vor der Geburt zusammenhängen. Der Zugang zu diesen Gefühlsschichten erzeugt ein Gefühl des Wohlbefindens und der Neugeburt, eben eines «Rebirthing».

Tibetanische Pulstherapie

Technik tibetanischen Ursprungs, nutzt den natürlichen Lebenspuls des Körpers als eine Art bioenergetische Maschine: Die durch ihn erzeugte Energie wird durch das Nervensystem geleitet und kann dadurch die negativen Nervenladungen neutralisieren, was sich förderlich auf verschiedene Organe auswirkt.

Vipassana

alte buddhistische Meditationstechnik: Man sitzt 40-60 Minuten oder länger in bequemer Körperhaltung, der Kopf ist aufrecht, der Rücken gerade. Die Augen bleiben geschlossen und die Aufmerksamkeit richtet sich auf die Atmung.

BIBLIOGRAPHIE

1. Angelini: «*Il sarto di Iside. Quaderni di erboristeria alchimica*», Ed. Kemi, Mailand 1978.

2. Bergeret, M. Tetau: «*La nuova fitoterapia*», Ed. Del Ricco, Florenz.

3. Peter Brown: «*L'energia dei cristalli*», Ed. Basaia, 1989.

4. Dethlefsen; R. Dalke: «*Malattia e destino*», Ed. Mediterranee, Rom 1986.

5. Dethlefsen: «*Schicksal als Chance*», C. Bertelsmann Verlag GmbH, München 1979.

6. Forrest: «*The inner sky*», Bentham Bokks, New York 1984.

7. Gentili: «*Il volo dei sette Ibis. Erboristeria alchemica*», Ed. Kemi, Mailand 1983.

8. Gaie Huston: «*The red book of Gestalt*», The Rochester Foundation, London 1982.

9. G. Jung: «*Die Archetypen und das kollektive Unbewußte*», Ges. Werke, Bd 9/I, Walter, Düsseldorf.

10. Kerenyi: «*Gli dei e gli eroi della Grecia*», Garzanti, Mailand 1976.

11. Kriyananda: «*Yoga postures*», Ananda Publications, Ed. Amrita, Turin 1991.

12. Alexander u. Leslie Lowen: «*The way to vibrant health*», Harper Colophon Books, Harper & Row, 1977.

13. Lucretius: «*De rerum natura*», Garzanti, Mailand 1975.

14. Mijnlieff: «*Manuale di floriterapia*»,Ed. Xenia, Mailand 1991.

15. Rajneesh: «*Rajneesh Neo-Tarot*», Rajneesh Foundation edition of Italy, Mailand 1984.

16. Rajneesh: «*Meditation, the first and last freedom*», The Rebel Publishing House, Köln 1989.

17. Katrina Raphael: «*Krystals healing*», Taos, New Mexico 1987.

18. Rimpoche: «Meditazione: cosé e come praticarla», Ed. Amrita, Turin 1991.

19. Schiffer: «*Bach Blumentherapie. Theorie und Praxis*», H. Hugendubel Verlag, München 1987.

20. Tierra: «*Planetary Herbology*», Lotus Press, Twin Lakes, U.S.A. 1988.

21. Valnet: «*Fitoterapia, cura delle malattie con le piante*», Ed. Giunti Martello, Florenz 1976.

22. Ziegler: «*Tarot - Spiegel des Lebens*», Urania Verlag, 1994.

Dr. Mario Montano (Prembodhi)

Geboren 1943 in Italien, 1967 Reise in die USA, wo er Universitätsprofessor und wandernder Hippy wurde. Seit 1975 Jünger von Osho Rajneesh; verbrachte fünf Jahr in seinem Ashram in Indien. Seit 1981 bereist Montano Europa, hält Vorträge, leitet Gruppen, führt Beratungen durch und schreibt über Astrologie und Tarot. Er ist der Erfinder des «Intuitiven Tarot» sowie Autor und Mitautor mehrere Bücher, darunter: Tarot – Spiegel des Lebens, Tarot – Spiegel deiner Liebe, Poker mit dem Unbewußten und Il Tarocco Intuitivo. Teilt seine Zeit gegenwärtig zwischen dem Himalaja und einem kleinen Haus in der Toskana auf.

Ferdinando Alaimo

Geboren 1941 in Rom. Abschluß im Fach Philosophie zu Rom. Danach Diplome in medizinischer Kräuterheilkunde an der Pharmazeutischen Fakultät der Universität Urbino sowie in Phytotherapie an der School of Herbal Medicine and Phytotherapy am National Institute of Medical Herbalists in Tunbridge Wells, Großbritannien. Lehrt Kräuterheilkunde und Phytotherapie an der Akademie für holistische Medizin in Mailand und an der Università del tempo libero zu Pistoia. Seit langem Interesse an Meditation, Esoterik und östlichen Denkweisen. Leitet seit Jahren Workshops zum «Tarot des Heilens» und zur alchemistischen Kräuterkunde sowie Ausbildungen in Phytotherapie.